Meu Nome
Era Judas

C. K. Stead

Meu Nome
Era Judas

Tradução
Débora da Silva Guimarães Isidoro

© 2006 by C. K. Stead
Título original: *My name was Judas*
Todos os direitos reservados.

Diretora editorial: Janice Florido
Gerente editorial: Carla Fortino
Editora de arte: Ana Dobón

Projeto gráfico: Dany Editora Ltda.
Imagem de capa: Getty Images

Impressão: São Paulo/Brasil

Dados Internacionais de Catalogação na Publicação (CIP)
(Câmara Brasileira do Livro, SP, Brasil)

Stead, C. K., 1932- .
    Meu nome era Judas / C. K. Stead ; tradução Débora da Silva
Guimarães Isidoro. — São Paulo : Arx, 2007.

    Título original: My name was Judas
    ISBN 978-85-7581-268-6

    1. Ficção cristã 2. Ficção neozelandesa I. Título.

07-3540   CDD-823

Índices para catálogo sistemático:

1. Ficção cristã : Literatura neozelandesa em inglês   823

2007
Editora Arx
Av. Raimundo Pereira de Magalhães, 3305
CEP 05145-200 — São Paulo — Brasil
www.edarx.com.br

AGRADECIMENTOS

Meus sinceros agradecimentos são para a criativa Nova Zelândia, pelo prêmio da Michael King Fellowship, 2005, pela conclusão do trabalho neste romance.

Agradeço a Paul Morris, professor de Estudos Religiosos da Victoria University of Wellington, que, ao me ouvir contar sobre a idéia de escrever este romance e meus sentimentos de incerteza, respondeu: "Essas são nossas histórias e devem ser recontadas constantemente".

CAPÍTULO 1

Naquela tarde, meu bom amigo e cunhado, Teseu, chamou-me. Havia algo que ele queria me mostrar. Atendi de imediato, subi pelo caminho escarpado que cortava o bosque de oliveiras, e ele me levou ao terraço de onde se viam o telhado de minha casa, as casas de minha família e o mar. O clima era incomum, e era possível visualizar com clareza até o horizonte. Ele já me havia falado sobre o que pensava a respeito daquela vista, mas agora tinha uma chance de mostrar exatamente o que quisera dizer e deixar-me julgar por mim mesmo.

Cresci no interior, na região da Galiléia, e lá havia sempre dias claros e vistas muito amplas. De Tiberíades, por exemplo, onde meu pai possuía uma casa, era possível ver outro lado do lago, até Golan, ou ao norte, até Hermon, com seus picos nevados sempre visíveis contra o céu azul. Aqui no Mediterrâneo, especialmente no calor, tudo se torna nebuloso ao longe, e é difícil ter certeza sobre onde acaba o mar e começa o céu. Uma longa gradação de azul que se mistura ao distante, nublado e obscurecido no horizonte.

Mas hoje o céu estava claro e tudo se mostrava nitidamente delineado. Ao lado de Teseu no terraço, eu divisava, com certeza absoluta, o horizonte que ele queria que eu visse, uma linha tão evidente que era como se um desenhista a houvesse posto lá, determinado a não permitir nenhum engano.

Agora, Teseu insistia, eu podia ver por mim mesmo o que ele comentara algumas noites atrás. Por quê, ele perguntou primeiro, havia uma linha tão distinta? Se olhávamos para o limite da visão humana, a imagem devia desaparecer e tornar-se indistinta. Mas não era isso que acontecia. Estávamos *vendo* aquela linha, *vendo* aquele limite. O que isso significava? Não que o mundo acabasse, porque sabíamos que navios percorriam grandes distâncias sem chegar a um fim, um limite. Eles podiam navegar sempre, para sempre, ao que parecia. Teseu vira navios navegando até aquele limite e desaparecendo; quando isso acontecia, eles não pareciam sumir de vista, mas *afundar* da vista. Ele repetiu a palavra. *Afundar*. Era isso que o intrigava. Não eram os olhos humanos que falhavam. Eram os navios que *sumiam de vista*. Para onde iam?

Nossos sentidos, ele insistia (agora cheio de entusiasmo), ofereciam a resposta; e ele me disse que eu deveria seguir aquela linha do horizonte, primeiro para a extrema esquerda, depois para a extrema direita. Não era verdade que parecia existir uma curva suave, uma inclinação muito sutil, mas perceptível, da linha, de forma que ela fosse mais alta no meio do que em suas extremidades?

Olhei com atenção, seguindo a linha lentamente para a esquerda e, depois, para a direita. Sempre me orgulhei de gozar de excelente visão, mas não sou mais jovem. Sem muita convicção, disse que sim, que acreditava haver uma curva suave.

— E aí — ele disse — está nossa explicação. Tudo se curva para longe de nós. Quando olhamos diretamente para frente e vemos aquela linha claramente definida é porque a superfície se curvou para longe, *para baixo*, para fora do nosso campo de visão. Isso é algo que só podemos reconhecer quando olhamos para o mar, um mar calmo como o que vemos hoje, porque só então olhamos por sobre uma superfície perfeitamente plana. Perfeitamente plana, exceto por ser curva!

Nesse ponto da exposição tínhamos, mais uma vez, o desacordo (embora me faltasse convicção, e ele estivesse cheio dela) que enfrentávamos dias antes, sentados sob as estrelas bebendo vinho, quando ele expusera o que um astrônomo amigo seu lhe disscra: que a superfície da terra era curva e que, "portanto", ela devia ser, de fato, uma bola gigantesca — inimaginavelmente grande, mas uma bola.

Desta vez, como na anterior, expressei minhas dúvidas e depois me calei.

— O Sol não é uma esfera? — persistiu ele. — E a Lua? Por que a terra não deveria ser também?

Sol e Lua eram esferas? Supunha que ele estivesse certo, deviam ser, mas essa idéia também me pegou de surpresa. Não tinha certeza nem do que pensava antes, ou se pensava alguma coisa sobre o assunto. A idéia do Sol como um grande disco ardente, fino e plano, esgueirando-se para uma brecha a oeste do oceano ao anoitecer, parecia muito real — mas, também, refletindo bem, improvável.

Mas, por outro lado, tudo era improvável — o Sol, as estrelas, a própria Terra.

Há muito tempo Teseu e eu tínhamos um pacto de olhar para o mundo como ele era e tentar entender apenas o que parecia ser confirmado pelo senso comum, pela observação. Olharíamos com cuidado e notaríamos tudo que nos cercava — plantas, animais, estações, clima e, acima de tudo, o comportamento de nossos irmãos e irmãs humanos. Dessa observação extrairíamos nossa "filosofia". Era o que ele estava fazendo com essa observação da curva do horizonte. Havia sido informado com certeza absoluta de que o mundo era uma esfera, e seu amigo astrônomo lhe apontara uma forma de demonstrar esse fato. Eu não podia acompanhá-lo inteiramente nisso; não conseguia ter convicção de que isso era verdade e julgava-me culpado por essa incerteza, por falta, provavelmente, de uma inteligência suficientemente ágil.

Mas não importava se isso era certo ou errado; tudo estava de acordo com nossa promessa de aceitar a "verdade" apenas no que podia ser confirmado por nossos sentidos e pela razão. Não rejeitávamos de imediato o místico, o misterioso, ou até o mágico; mas não os aceitávamos, também, pelo que outros diziam. Talvez houvesse um Deus que ouvia nossas preces e apreciava nossos sacrifícios, conforme me haviam ensinado na infância; ou muitos deuses, como pregavam as tradições herdadas por Teseu. Talvez o ar se encontrasse repleto de anjos e homens mortos perambulassem pela noite. Mas, talvez, igualmente, não existisse nada disso. Estávamos decididos quanto à necessidade de vê-los e ouvi-los, de sentir sua presença e seus poderes, antes de crermos neles novamente. E o que descobríramos, ao longo de décadas de amizade, foi que, quanto menos acreditávamos nessas forças, naquele "outro mundo" e em suas criaturas, menos razões elas nos davam para nelas acreditar. Gradualmente, a vida, o ar que respirávamos, o céu, o mar, as pedras e a areia do deserto, tudo ia sendo limpo de "emanações".

Era como uma bruma se dissipando, um véu sendo rasgado. Sons estranhos na noite eram sons estranhos na noite e tinham causas passíveis de descoberta. A carruagem de fogo da ira divina no céu podia ser transformada por nossa vontade em algo menos nefasto, como um camelo dourado, um cavalo branco, uma carpa gigantesca e, finalmente, em nada além de nuvens e sol. Quando minha mula caiu morta foi por estar velha, não por uma maldição ou praga. Havia um cometa no céu, ou uma estrela cadente? Muito bem, era um cometa ou uma estrela cadente. Por que tinha de "significar" alguma coisa? Uma vaca oferecida em sacrifício dava à luz quando tinha a garganta cortada (o que acontecera recentemente, não muito longe daqui, causando medo e pânico na região)? Então, ela estivera prestes a dar à luz e não deveria ter sido escolhida para ser sacrificada. O celeiro de um vizinho incendiara-se, queimando todo o seu estoque de grãos? Não, não era, como ele acreditava (batendo no peito e chorando), uma punição por ter pecado e negligenciado preces e sacrifícios. Muito mais provável (embora não tivéssemos dito isso a ele) era que o filho, um bêbado desordeiro, houvesse provocado o fogo.

Não mais fingiríamos que podíamos "ler" essas coisas nem aceitaríamos essa suposta capacidade em outros homens. Tudo era apenas o mundo em movimento, acontecendo sem prestar atenção em nós.

Até o relâmpago que, anos atrás, atingira o carro de boi e incendiara as poucas posses terrenas que eu trouxera de Tiro, agora eu via, era um evento natural, porque eu não dera motivo, nem naquela época, nem depois dela, para que fosse diferente. Se Deus existia e desejava falar comigo, então, Ele devia falar e eu O ouviria. Ouvia até quando Ele não falava, mas não fingiria ouvir Sua voz em um silêncio, ou no fato de um carro de boi queimar com todas as minhas coisas dentro dele.

Os mistérios permaneciam. Por que a vida é como é, tão valorizada, tão rica, tão imperfeita, tão cheia de contradição e dor? Por que tem de acabar em morte, e por que devemos saber que ela acaba e ainda não termos a causa, além das palavras sem provas dos profetas e das escrituras, para acreditar que há alguma coisa além desse fim? O que existe "lá", entre as estrelas e além delas?

Não era o mistério que rejeitávamos, mas as explicações, que pareciam, muitas delas, histórias frágeis inventadas para pacificar ou amedrontar crianças pequenas. Queríamos ser homens racionais, homens práticos, homens que não temiam a escuridão. Havia razão suficiente para temer o que era visível e tangível, sem acrescentar esses medos outros do que podia existir por aí, invisível e intangível. Vivi toda a minha vida com medo de meus semelhantes (e não só do poderoso senhor romano, embora o temesse mais do que aos outros), dos animais selvagens, das tempestades repentinas, da seca e da fome, da doença e do que ela poderia causar a meus filhos. E da morte. Era medo suficiente para qualquer homem, e eu estava determinado a não mais os ter, a não ter outros, a menos que houvesse razão comprovada para isso.

Havia livrado minha consciência de deuses, fantasmas e demônios. Se voltassem, eu tentaria lidar com eles, mas era como se (e o leito de morte poderia provar que eu estava enganado!) houvessem ido embora para sempre.

Mas, obviamente, eu fizera tudo parecer muito fácil. O que faz um pai amoroso quando seu filho adoece, além de ajoelhar-se e rezar? Quando essa criança morre, como aconteceu com duas das minhas, o que ele faz além de examinar a própria mente em busca de culpa, razão ou erros que possam ter acarretado tal calamidade? Quando sinto uma intimação da enfermidade que um dia me matará, o que faço senão orar? Não *por* alguma coisa, nem mesmo para ser salvo. Apenas orar.

— Por favor...

— Por favor, o quê? — o grande Deus pode perguntar se estiver ali ouvindo. E o que eu responderia, se sei que não viverei para sempre? Apenas "por favor", só isso. Não é natural ser sempre racional, mas é inteligente tentar sempre.

A resolução de viver dessa maneira, rejeitando as crenças e fantasias de nossa criação, instalou-se em mim com menor facilidade do que ocorreu para Teseu. Ele também tinha velhos deuses e monstros com os quais lidar e velhos hábitos de prece e conciliação que os acompanhavam. Sei que ele ainda não consegue resistir a uma ou outra tentativa de ler o próprio futuro no alinhamento das estrelas; às vezes, quando vamos pescar juntos, vejo seus lábios se movendo e sei que ele está orando para algum deus grego das águas, provavelmente pedindo que os peixes mordam a isca, mas também, provavelmente, pedindo proteção contra alguma tempestade repentina. Esse caminho para a razão e o ceticismo, porém, tem sido mais fácil para ele do que para mim. Como grego de boa educação, ele herdou uma tradição diferente da minha, que sou judeu. Senti que precisava de sua ajuda, e ele me tem ajudado nessas décadas. Minha dívida para com ele é muito grande.

Há quarenta anos cheguei a este vilarejo litorâneo ao sul de Sidom para escapar da Judéia, de Jerusalém, do que me havia acontecido ali, e de tudo que minha região e a cidade santa (como a chamávamos) passaram a representar. Queria fugir de minha infância, de minha raça, de minha religião, de meus erros, fugir de minha própria história; começá-la novamente, reescrevê-la vivendo-a novamente, dando-lhe o que poderia ser uma espécie de final feliz.

Assim como meu pai, tornei-me mercador de alimentos, basicamente óleo de oliva, tâmaras, bálsamo e sal, e às vezes, também, quando a safra era boa, trigo e cevada. Pedi em casamento e fui aceito (em segundas núpcias, porque minha primeira esposa morreu na Galiléia quando eu ainda tinha pouco mais de vinte anos). Agora sou pai de adultos, dois filhos e três filhas, e avô de muitos netos. Cheguei aos setenta anos, idade que os salmistas afirmam ser nossa expectativa máxima de vida.

Certamente, nunca esperei alcançar idade tão avançada; quando meu aniversário chegou, no ano passado, senti alívio, como se não houvesse mais necessidade de lutar ou de me agarrar a qualquer coisa. Vivi minha vida. Minha história, devidamente revista, contou-se. Houve enganos e perdas (sempre há perdas), mas o desfecho não foi desafortunado. Se houver mais alguma coisa, tratarei esse período adicional como uma coda e (embora ainda considere a vida desfrutável e interessante) um bônus.

Mas ainda não estou morto nem sou um moribundo e não posso distanciar-me inteiramente desse mundo, tampouco de meu passado. Enquanto recebo as notícias de acontecimentos violentos em Jerusalém, de revoltas, guerras civis e, mais recentemente, da invasão da cidade por quatro legiões — 24 mil soldados a pé — sob o comando de Tito, filho do novo imperador, que certamente imporá terríveis punições a esses judeus que desafiam o domínio romano, encontro-me retomando o passado, voltando a ele em pensamentos, lembrando um tempo que, até agora, quis esquecer.

Minha querida esposa Thea, irmã de Teseu, morreu há três anos, fato que testou e, em alguns momentos, desafiou severamente minha "filosofia" e minha alegação de ter-me transformado em "homem racional". Ela costumava dizer, debochando ternamente de minha determinação de rejeitar histórias sobre fantasmas e ressurreições, que, se houvesse vida após a morte, ela voltaria e sussurraria em meu ouvido algo que me pegaria de surpresa. À noite, sempre faço uma caminhada pela orla antes de ir me deitar e, na escuridão, converso com ela, dizendo que a amo, dizendo coisas que devemos dizer e não dizemos até que seja tarde demais. Estou sempre atento para o caso de haver uma resposta, mas Thea se mantém em silêncio, e suponho que deva ser assim mesmo.

Meus filhos algumas vezes me pediram (embora nunca com um tom que pudesse sugerir grande importância ou urgência) para contar sobre o passado; pediam explicações sobre como Judas Iscariotes, como eu era conhecido nos primeiros trinta anos de minha vida, tornou-se Idas de Sidom — como fui chamado pelos quarenta anos seguintes. Dei-lhes apenas esboços, anedotas, lembranças aleatórias, mas nunca a parte que me parece a mais significativa. Não que eu sinta vergonha do que penso ser "a história real". Há razões para mantê-la em segredo, embora eu saiba que esse segredo estará seguro com eles. Mas suponho que preferi ser conhecido por eles como o homem que me tornei, não como eu era antes das importantes lições que aprendi com minha vida.

Talvez agora seja a hora de preencher as lacunas.

Nosso mundo
uma bola ou um plano — essas
questões são importantes.

Sob minha janela
ouço meu neto
Hector perguntar

"Mamãe, por que
vovô fala
daquela maneira engraçada?

Ela explica
é o sotaque
da minha terra natal.

Nenhum sinal
da chuva tão necessária
ao meu pomar.

Do meu passado
sombrio eu invoco
a figueira estéril

Que Jesus amaldiçoou
e da qual se diz
que pendi como fruto maduro.

CAPÍTULO 2

Quando conheci Jesus, acho que tínhamos seis ou sete anos de idade. O pai dele era carpinteiro, e o meu, um mercador bem-sucedido, de forma que havia um cisma social entre nós. Meu pai não só era próspero como também provinha de uma família de sacerdotes, uma família de saduceus cuja origem era a cidade judia de Iscariotes, e nos anos de meu discipulado, quando meus onze irmãos queriam ressaltar a diferença entre eles (bons filhos da Galiléia) e eu, chamavam-me Judas de Iscariotes. O fato de eu nunca ter vivido lá não importava: eu era o diferente, o que não pertencia à região deles, o que nascera em família privilegiada, outra diferença que foi usada contra mim. No entanto, embora não fosse o mais próximo de Jesus em amor nem aquele com quem ele se sentia mais seguro, eu era aquele que o conhecia havia mais tempo.

O avô e o pai de meu pai haviam sido rabinos, e o irmão dele era um importante sacerdote ligado ao Templo em Jerusalém. Meus pais orgulhavam-se do *status* conferido por essa ligação, mas eu tinha a impressão, adquirida pela maneira como as crianças apreendem tais coisas — sem tê-las confirmadas ou explicadas —, de que meu pai havia ofendido a família de alguma maneira, possivelmente casando-se com minha mãe, a qual não possuía conexões com o clero, e que ele estava determinado a colocar sobre meus ombros, seu único filho, o fardo de reconquistar a aprovação perdida. Ele escolheu um homem chamado Andreas para ser meu professor, ou tutor, e eu ia a casa dele quatro vezes por semana, acompanhado por outro garoto, Tadeu, cujos pais também pagavam pelas aulas dadas ao filho, e com Jesus, cujos pais não podiam pagar. Nosso tutor havia descoberto Jesus por acaso e se oferecera para ensiná-lo por ser ele excepcionalmente rápido e esperto — um *ilui*, dizia Andreas, uma criança genial. Jesus também tinha grande charme e boa aparência. De fato, às vezes eu pensava (sem nunca duvidar da inteligência de Jesus, a qual via demonstrada diariamente) que eram o charme e a aparência, tanto quanto a promessa de erudição, que o haviam levado a conquistar um lugar entre nós. Eu, por outro lado, era um garoto de aparência comum, de maneiras diretas, mas um tanto desprovido de graça.

Quando lembro aquelas aulas, a imagem que me vem é sempre a de Andreas com um braço lânguido sobre os ombros de Jesus, falando conosco naquela voz alta e repleta de entusiasmo, como se simultaneamente ensinasse e protegesse seu favorito. Às vezes, quando lhe agradávamos aprendendo coisas difíceis, ele nos beijava nas faces. Jesus era beijado com maior freqüência. Ele aprendia, mais, e mais depressa, por isso merecia os beijos. Mas sabíamos que Andreas o amava de maneira diferente que a nós.

Andreas nos ensinaria primeiro a ler em nosso idioma e, depois, a escrever. Com o passar do tempo também aprenderíamos hebraico, pois assim estudaríamos os textos sagrados, a história de nossa raça e todas as outras histórias que ele julgasse úteis para nosso desenvolvimento. Devíamos passar muito tempo copiando e memorizando passagens significativas. Andreas era um sírio que tinha no grego sua primeira língua; mas era um excelente acadêmico e um ótimo lingüista e considerava seu aramaico superior ao nosso, porque ele o aprendera em Jerusalém. Considerava seu sotaque, da região da Galiléia, "bucólico", censurava nossas "consoantes rurais" e nos obrigava a corrigi-las quando líamos nossos textos em voz alta. Também nessas circunstâncias Jesus ganhava beijos. Mesmo menino, ele possuía uma bela voz e logo se tornou capaz de ler em voz alta os mais difíceis textos, passando os olhos por pergaminhos com competência espantosa, raramente cometendo erros. Ele também cantava bem; mas todos éramos bons nisso e entoávamos canções folclóricas a quatro vozes com nosso tutor.

Também aprendemos um pouco de grego com Andreas, bem como algumas de suas tradições gregas. Muito do que aprendemos logo foi esquecido, mas lembro-me de que uma vez tivemos uma aula sobre a filosofia de Diógenes, cujos seguidores (chamados "cães filósofos") rejeitavam a propriedade e o apego às coisas e perambulavam pelo mundo em estado de miséria, vestindo roupas rasgadas, pedindo comida e buscando abrigo onde podiam encontrá-lo. Havia uma história sobre Diógenes percorrendo as estradas empoeiradas das cercanias de Corinto com os pés descalços, carregando apenas um cajado e uma bolsa sobre o ombro, encontrando Alexandre, o Grande, que se dispunha a conquistar o mundo, algo que o filósofo (conforme a história) considerava desnecessário, já que, em sua opinião, *seu* mundo — *ele mesmo* — ele já havia conquistado. O grande rei, usando um brilhante colete e capacete de metal e rodeado por militares que carregavam lanças com estandartes escarlates e negros, olhou do alto de seu magnífico cavalo para o filósofo maltrapilho e impressionou-se com seu rosto bom e inteligente e sua presença forte. O rei perguntou se havia algo que podia fazer para ajudar um homem cuja reputação de sabedoria o precedia no mundo.

— Pode recuar um pouco — Diógenes respondeu. — Está na frente do sol.

Lembro-me dessa história, não só por ela, mas por causa da reação do menino Jesus ao ouvi-la. Ele riu ruidosamente, abrindo a boca para gargalhar como um camponês, batendo a mão sobre a mesa repetidas vezes. Seus olhos brilharam com uma estranha luz ensandecida.

Senti-me embaraçado com a falta de autocontrole e sussurrei-lhe que não era necessário promover tamanho espetáculo para nosso professor. Mas Andreas beijou-o:

— Jesus reconhece a sabedoria e se delicia com ela — disse —, e você deveria fazer o mesmo, Judas.

Muitos anos mais tarde, quando viajamos juntos e descalços pelas estradas, pregando e praticando pobreza e abstinência, Jesus me lembrou essa lição.

— Somos os cães filósofos da era moderna — ele disse.
Estávamos ambos cansados e com calor, e eu não me sentia com
disposição para adulação.

— E você — disparei com algum sarcasmo —, suspeito, deve
ser nosso Diógenes.

— Se você assim o diz... — ele respondeu. Havia algo de in-
transigente e forte nessa resposta, um tom que mais tarde enfurece-
ria tanto as autoridades romanas quanto os sacerdotes judeus; mas,
naqueles primeiros dias, suas asserções eram sempre mescladas com
uma dose de humor, um toque de deboche pessoal.

Estávamos discutindo, como sempre fazíamos, sobre a exten-
são das privações que se podiam suportar e por quanto tempo. Ele
nos disse, a nós, os doze discípulos, que devíamos usar apenas um
jellaba e carregar somente uma pequena bolsa pendurada sobre um
ombro, um recipiente para levar alguns poucos itens, incluindo um
único manto para aquecer-nos à noite e no frio. Ele também ordenou (um de seus repentinos decretos, que pareciam brotar sem pensamento ou aviso prévio, este último deixado de lado intencional-
mente) que deveríamos viajar sem um cajado. Por que, ele indagou,
teríamos de levar proteção contra bandoleiros se nada carregáva-
mos de valor? De qualquer maneira, ele nos ensinava que deveríamos dar tudo que nos fosse pedido, se tivéssemos o que dar. Não
deveria haver nada para ser protegido.

Eu usava o *jellaba* único e carregava a sugerida bolsa, mas me
recusara a abrir mão de meu cajado. Era como um amigo para mim.
Tornava meu caminhar mais fácil quando tínhamos de atravessar
território acidentado, e eu me sentia mais seguro com ele estando
em campo aberto.

— Não me faça escolher entre dois amigos — eu respondera, e
ele rira abertamente, como costumava rir quando estávamos sozinhos, insinuando que estava disposto a ser paciente comigo.

Nessa ocasião estávamos apenas os dois (ele sempre nos dividia
para trabalhar em duplas) em um caminho mais difícil, descendo
para Cafarnaum, onde, à noite, encontraríamos os outros. Cansa-

dos e com calor, irritados e a um passo de uma discussão (naquele dia não havíamos encontrado ouvidos férteis, não conquistáramos novos seguidores, tínhamos até sido apedrejados por meninos), chegamos a determinada altura da encosta e nos vimos diante de uma matilha de cães selvagens.

— Aí estão eles — disse Jesus. — Nossos irmãos cães filósofos.

Era uma boa tentativa, e admito que ele não parecia nada amedrontado, mas íamos precisar de um milagre de transformação ali. Eram cães selvagens, não filósofos, e estavam famintos.

Os animais se mostravam inquietos com nossa presença, mas não recuavam. Com a parte frontal de seus corpos abaixada, eles rosnavam e exibiam as presas, em uma atitude ameaçadora. Podia quase ler os pensamentos em suas cabeças peludas: "Será que vamos conseguir? São só dois homens. Eles são fracos ou fortes?".

Entrei em ação imediatamente, investindo contra eles e brandindo meu cajado, girando em torno de mim mesmo. Eles latiram, espalharam-se e desceram a encosta, deixando um companheiro ferido para trás. O animal estava tão profundamente ferido que o matei com um último golpe de misericórdia, bem no meio da cabeça.

Retomamos nossa caminhada, e esperei que Jesus dissesse alguma coisa, que tecesse algum comentário agradecido ou de reconhecimento, que me elogiasse pela proeza, mas ele não disse nada. Finalmente, não pude mais conter:

— Você havia dito que eu devia abrir mão do cajado — apontei.

— Eu disse.

— E ainda é da mesma opinião?

— Sim.

— Mas, se eu não tivesse meu cajado, teríamos sido atacados e mortos. Dilacerados e devorados.

Ele sorriu.

— Mas você *tinha* o cajado.

Quando meninos, nós nos dávamos bem e nos tornamos amigos. Ele era inteligente, mas eu não era nenhum estúpido, e gostávamos de aprender, de fazer jogos com as palavras, de competir e memorizar grandes trechos das escrituras. Aqueles textos eram como uma argila depositada na mente. Permanecem comigo até hoje, não como fonte de fé, mas como um enriquecimento. E mais tarde eu veria Jesus, em seus dias grandiosos como pregador, fazer maravilhoso uso deles. Para mim a linguagem das escrituras era (e ainda é) uma fonte de beleza e conforto; para ele, tornou-se fonte de poder.

Foi isso que nos fez amigos. Embora ele tardasse a aceitar a admiração e até o discipulado de alguns homens cujas mentes eram, para dizer o mínimo, comuns, quando criança ele era astuto, competitivo, impaciente e facilmente irritável. Se eu fosse tedioso e sem graça, como achávamos que Tadeu era, Jesus não teria se interessado por mim. Ele nunca mostrou sinais de procurar minha companhia por eu ter bons brinquedos e viver em uma bela casa. Pelo contrário, culpava-me por essas vantagens, perdoando-as por eu ser um companheiro com quem ele podia competir e às vezes até enfrentar dificuldades para vencer.

Fazíamos jogos mentais que nós mesmos inventávamos. Alguns consistiam em tentativas de comunicar silenciosamente os pensamentos. Um de nós tinha de pensar em uma cor, um número entre um e vinte, ou em um animal e tentar enviar esse pensamento ao outro, que se concentrava de olhos fechados tentando recebê-lo. Mantínhamos o registro de quantas vezes essas transferências de pensamentos ocorriam e comparávamos essa contagem com o acaso (que no caso dos números era, certamente, uma chance em vinte) para sabermos se o resultado era simplesmente uma coincidência, um fato aleatório. Nosso índice de sucesso era sempre maior do que as chances numéricas, e assim nos convencemos de que, em algum grau, estávamos conquistando o poder da comunicação silenciosa.

E, por haver entre nós, mesmo naquela tenra idade, um elo intelectual, também fazíamos juntos todas as coisas comuns que os meninos fazem para preencher seus dias. Corríamos pelo campo, lutávamos e brincávamos de nos esconder entre as árvores, explorávamos cavernas, escalávamos rochas, caíamos e nos feríamos e recebíamos duras censuras e até punições por nos afastarmos tanto dos limites do vilarejo. No tempo quente, íamos nos banhar no rio que cortava o vale. Tornamo-nos especialistas em atirar pedras, como devia acontecer com todos os meninos. Eu era, pelo menos, igual a ele, ou até um pouco superior, com uma funda, mas não o superava no arremesso manual. Tínhamos aproximadamente o mesmo tamanho e a mesma força física, mas no arremesso de pedras ele possuía um jeito todo especial de torcer o punho no último momento, e essa habilidade aumentava a força e a distância do arremesso. E sua pontaria era mortal. Tive centenas de oportunidades de vê-lo derrubando pássaros dos galhos das árvores.

Às vezes eu ia visitá-lo em casa, uma pequena habitação de teto reto em uma rua estreita, na qual ele vivia com os pais e seus quatro ou cinco irmãos e irmãs mais jovens. Era uma moradia rústica e super-habitada, muito diferente da minha, em que se podia sentir a mistura dos cheiros de comida, corpos humanos e dois cachorros. O pai dele, José, era um homem quieto e corpulento, com um sorriso caloroso. Quando não estava trabalhando, José gostava de ir se sentar sobre o telhado plano da casa, ou em um banco na rua, para tocar flauta. Nunca o ouvi falar muito, e ele parecia resignadamente dominado pela esposa.

A mãe, Maria, era uma mulher intensa e magra que ocultava uma qualidade férrea sob a adequada aparência de doçura e submissão. Ela servia ao marido, como devia fazer uma mulher, servindo suas refeições primeiro e comendo apenas quando ele terminava. Não havia nada de abertamente "diferente" nela. No entanto, era impossível não sentir que, à sua maneira ligeiramente maluca, ela chefiava aquele lugar.

Quando me encontrava na rua, ela me segurava pelos braços e fitava-me, dizendo-me que eu era um "rapazinho muito bom". Ela tinha olhos lacrimejantes, e de perto era como se uma alma afogada espiasse através da água.

— Aqui está o amiguinho de Jesus — ela dizia a todos e a ninguém quando eu aparecia em sua porta. — Como vai, Judas? Você parece ótimo hoje, querido. Não está um lindo dia? Onde sua mãe encontrou essa linda túnica? Ela mesma a fez? Não, mas é claro que não... Uma das criadas, talvez. Como vai sua mãe? E seu pai? Ele já retornou de Tiberíades?

Eu não precisava responder a nenhuma dessas perguntas, porque cada uma delas era imediatamente seguida por outra, e depois ela continuava, sem interrupções, para contar como Jesus, seu "pequeno *ilui*" (ela tomara a palavra de Andreas), seu maravilhoso primogênito, seu filho milagroso, havia realizado algum feito naquela manhã, o que ele dissera na noite anterior, o que fizera pelos irmãos mais novos.

Quando conheci a família, Jesus corava e se acanhava com esses elogios maternos. Conforme foi crescendo, passou a demonstrar impaciência e irritação, sentimentos que não tentava esconder.

— Mãe, quer ficar quieta? — Eu o ouvi dizer muitas vezes.

Mas era como se ela não o escutasse. Maria vivia no interior da fortaleza da própria mente, enviando mensagens sem as receber de volta. Quando eu era pequeno, assustava-me com ela. Mais tarde, quando Jesus tornou-se um famoso pregador e profeta e eu o vi rejeitando cruelmente todas as tentativas da mãe de protegê-lo, aconselhá-lo e amá-lo, passei a sentir pena dela. No final, quando ele morreu em Jerusalém, ela estava longe, ainda em Nazaré com a família.

Uma vez, provavelmente no segundo ano de nossas lições com Andreas, lemos com Tadeu a história do nascimento de Moisés — as passagens do êxodo que contam como a população de judeus crescia muito mais depressa do que a de egípcios e como o faraó, que governava os judeus, os fazia trabalhar mais e mais, tentando deter esse crescimento. Mas esse esforço não obteve o sucesso esperado. O número de judeus aumentava rapidamente, e o faraó ordenou a morte de todos os primogênitos judeus. Para evitar esse destino para o filho, a mãe de Moisés o pegou recém-nascido e o colocou em um cesto em uma corredeira, protegido por arbustos, em que ele foi encontrado pela filha do faraó, a qual o salvou e criou como filho.

Gostávamos dessa história da criança que foi salva para tornar-se grande patriarca de nossa raça, mas havia algo de estranhamente intenso em como meu amigo respondia a ela, e, quando estive em sua casa pela primeira vez depois de termos lido esse relato e sua mãe se lançou no habitual jorro de elogios, ela chamou seu primogênito de "meu pequeno Moisés". Fiquei intrigado com isso. Mais tarde, sozinho com Jesus, perguntei o que ela havia desejado dizer. Jesus encolheu os ombros e disse que não sabia, que não acreditava que o comentário tivesse algum significado.

— Você conhece minha mãe — ele acrescentou. — Ela fala...

Mas suspeitei de que ele soubesse. E não queria nos dizer.

Muitos anos mais tarde, porém, lembrei-me disso outra vez. Foi durante o discipulado, não muito antes de irmos todos juntos ao que deveria ser sua missão triunfal em Jerusalém. Nessa época (eu explicarei depois) começavam a surgir rupturas entre os doze, e Jesus estava, em minha opinião, tornando o cisma ainda pior, continuando uma prática (embora eu suponha que tenha sido não intencional, meramente intuitiva, como muitas coisas que ele fazia) de "dividir para governar". Ele selecionava dois ou três, levava-os para algum lugar afastado e dizia a eles coisas que os outros não deveriam saber. Isso criava ciúme, inveja, competição por seus favores. Nesse tempo éramos todos, cada um à sua maneira, cativos dele; ele exercia seu poder sobre nós, às vezes de maneira individual, às vezes coletivamente, por intermédio do charme (seu poder de fazer alguém se sentir amado e provocar amor correspondente era extraordinário), de argumentos lógicos, de explosões de impaciência ou ira, de eloqüência e até de ameaças que lançava contra um ou contra os doze, ou dando as costas para todos nós.

Eu me sentia um pouco menos fascinado por ele do que os outros e, mesmo naqueles dias mais tardios, quando ele tendia a se exasperar ao acreditar que sua autoridade estava sendo desafiada, às vezes me sentia capaz de criticá-lo; depois de uma ocasião em que ele chamou de lado Tiago e João (os irmãos que ele às vezes chamava de Filhos do Trovão) e Bartolomeu e os aconselhou e conferenciou com eles em particular, disse-lhe que esses exercícios de favoritismo surtiam um efeito negativo.

Jesus me ouviu silencioso, sério, de cabeça baixa. Quando concluí minha queixa (que acabou jorrando como que por inércia, por falta de argumentos contrários), ele me encarou. Seu sorriso sugeria certo escárnio.

— Isso é ciúme?

— Bem, suponho que possa ser — confirmei. — Não me importo com o nome que dê a isso, desde que pense na situação.

— Estaria se queixando se fosse um dos três?

— Provavelmente não. E então você não teria ninguém para alertá-lo, porque nenhum dos outros diria uma só palavra.

Ele assentiu, ainda sorrindo.

— Bem, obrigado pelo aviso, então, Judas.

Enquanto eu me preparava para partir, ele perguntou:

— Já pensou que está em um subgrupo unitário e que é invejado por isso?

Eu o encarei, em um pedido silencioso de esclarecimento.

— Você é o único que me conheceu criança.

Eu me virei.

— Judas... — Ele me agarrou pela manga da túnica, batendo em meu braço como fazíamos um com o outro nos velhos tempos das aulas, e me fez encará-lo. Era o sorriso ao qual eu raramente resistia: não o intenso "Podemos fazer isso juntos", um sorriso de irmão que ele usava quando falava conosco como um grupo; não era o "Você é minha rocha; nunca se esqueça de quanto conto com você", um tipo de sorriso que pertencia a Simão Pedro; também não era o sorriso indulgente de perdão que ele reservava para o pobre e ansioso Tomás, ou o sorriso de mentor amoroso que ele dirigia a Bartolomeu. Não. O sorriso reservado para mim era bondoso, franco, conspirador. Assinalava o encontro de mentes superiores que se divertiam, como se ele me dissesse em silêncio: "Vamos lá, Judas, você é o único com cérebro nessa turma. Sabe como temos de agir por aqui se quisermos fazer tudo isso funcionar".

Ele me lisonjeava com aquele olhar, me encantava com ele e, como sempre, conquistava-me. Quando recordo esses momentos, deploro minha fraqueza; mas, ao mesmo tempo, sinto saudades do companheirismo, da afeição. Com exceção de minha família (na qual incluo meu cunhado), acho que Jesus é o único homem que realmente amei.

Assim, jamais saberíamos o que ele disse a João, Tiago e Bartolomeu na encosta daquela colina, entre as cabras e os bodes. Mas Bartolomeu, o mais jovem do grupo, certamente se sentiu honrado por ter sido incluído no grupo formado pelos dois homens mais velhos e mal pôde conter o orgulho. Ele revelou as palavras de Jesus aos poucos, primeiro por trechos desconexos, depois por sussurros sigilosos. Os dois irmãos foram interrogados por conta da indiscrição de Bartolomeu, tudo isso quando Jesus não estava por perto. Em pouco tempo tínhamos uma versão editada da história por ele contada aos três discípulos, reunindo fragmentos que acabaram por compor um relato compreensível.

Era sobre seu nascimento, e eu a reconto agora, não só pela lembrança daquele tempo mas por tê-la ouvido novamente, mais de uma vez, de alguns evangelistas que passaram por Sidom recentemente levando a palavra de Jesus. Essa é a história:

Embora a família de Jesus vivesse em Nazaré durante sua infância, seu pai, como o meu, havia nascido em outro lugar. José vinha de Belém, uma pequena cidade na Judéia, ao sul de Jerusalém. Quando Maria engravidou do primeiro filho, havia um decreto exigindo que todos os homens da Judéia retornassem à sua cidade natal ou a seu vilarejo de origem, levando a família com ele, para pagar um novo imposto exigido pelo imperador da época, Augusto. Era inverno, e o jovem casal viajava percorrendo longa distância, ele a pé, ela montada em um jumento. Nos arredores de Belém, eles se viram temporariamente acomodados na parte inferior da casa de um camponês, onde os animais eram mantidos durante o inverno. Ali, na aromática vizinhança de uma vaca, dois bodes e alguns carneiros, Jesus nasceu.

Mas havia sinais e presságios especiais, em especial uma nova e brilhante estrela no leste. Esses sinais foram vistos por certos homens sábios, conselheiros do rei Herodes, e interpretados como a indicação do nascimento de um novo "rei dos judeus". Herodes fingiu acolher tal notícia com alegria, mas inquietou-se com ela. Nem sequer sabia ao certo se acreditava nela; mas esses mesmos homens tinham acertado profecias anteriores, e a criança especial podia ser um desafio, se não à sua autoridade, pelo menos à sucessão. Ele exigiu saber o lugar onde essa criança poderia ser encontrada. Os homens sábios conferenciaram com outros, sacerdotes e profetas, e decidiram que deveria ser em Belém, porque havia antigas profecias com esse significado e porque a nova estrela no leste parecia se mover no céu guiando as pessoas naquela direção.

Em segredo, Herodes chamou um esquadrão especial de seus soldados, ordenando que encontrassem e matassem todos os bebês nascidos em Belém e na região que a cercava. Mas a notícia do planejado massacre chegou a José em sonho, ou por intermédio de um anjo (ou pode ter sido um anjo em um sonho), e ele fugiu com Maria para o Egito, retornando à Galiléia e a Nazaré somente um ou dois anos mais tarde, depois de ouvir a notícia da morte de Herodes.

Bem, era uma boa história. Quarenta anos depois, ainda é uma boa história. Mas não é — e nunca foi — fácil acreditar nela. Sentia-se perturbado por ela, por sua natureza implausível e pelo fato de Jesus ter escolhido contá-la exatamente àqueles três seguidores.

Um dia, eu me vi sozinho com ele. Era mais um daqueles nossos dias de esforço frustrado, que se haviam tornado raros naqueles tempos, quando a fama de Jesus se espalhava pelo campo. Estávamos nas partes baixas do monte Tabor, olhando para o leste por sobre campos férteis para o lago e o Jordão, e, tomado pela frustração que me atormentava, decidi desafiá-lo.

— Por que contou aquela história sobre seu nascimento? — perguntei.

— Por quê? Porque a história é verdadeira. Que outra razão poderia haver?

Seu tom era menos truculento do que autoritário. Sugeria que eu não tinha o direito de questioná-lo.

— Nunca ouvi de um imposto romano que exigisse a volta dos homens a seus locais de nascimento.

Ele me olhou, inabalável. Prossegui:

— Seria completamente impraticável. Meu pai, por exemplo, teria sido obrigado a retornar a Iscariotes.

Jesus encolheu os ombros e olhou para o vale.

— Talvez ele tenha voltado. Seu pai estava sempre longe de casa em algum lugar, não estava?

Deixei passar esse comentário.

— Se houvesse mesmo ocorrido um massacre de recém-nascidos em Belém, todos teríamos sabido.

— Acha que Herodes teria anunciado publicamente o feito?

Eu estava me esforçando muito para entender.

— Por que contou essa história àqueles três?

— Porque eles estavam prontos para ouvi-la.

— E para acreditar nela.

— Porque ela é verdadeira.

— Jesus, não acredita mesmo nisso, não é?

— Quando conto uma história sobre um criado e seu amo, ou sobre o proprietário de um vinhedo, ou sobre o pastor que guarda seu rebanho na encosta de uma colina, é verdade ou mentira?

— Ah... — Eu parei para pensar. — Então, é uma parábola.

O olhar tinha o objetivo de perturbar-me, deixar-me inseguro... e alcançou o propósito.

— Para você é uma parábola — ele disse —, se assim preferir. Para Tiago e João, é história. De qualquer maneira, serve.

Mas o que seria? E a que servia? Havia antigas profecias sobre o Messias nascendo em Belém. Ele estaria começando a acreditar naquelas vozes que gritavam do meio da multidão chamando-o Filho do Homem, o realizador do milagre destinado a conduzir o povo judeu a seu verdadeiro destino? Pensar que ele podia estar considerando essa idéia e, mesmo sutilmente, promovendo-a era inquietante. As possíveis conseqüências eram assustadoras.

Mudei de tática.

— Se não queria que essa história chegasse aos ouvidos dos outros, por que a contou a Bartolomeu?

Ele meneou a cabeça.

— Foi um erro. Deviam ter sido apenas João e Tiago.

Descansamos um pouco à luz do final de tarde. Queria discutir com ele, pelo menos tentar estabelecer claramente que alegação ele fazia agora, mas não disse nada. Foi um daqueles momentos em que comecei a admitir para mim mesmo que as engrenagens se soltavam no interior de nossa empreitada coletiva... ou em minha fé nela.

Houve, no entanto, outro elemento da história que só conheci há alguns anos, relatado a mim por um dos missionários de Jesus de passagem por Sidom e confirmado recentemente por um segundo missionário. Quando Maria viajou montada no jumento para Belém, levando Jesus em seu ventre, ela *ainda era virgem*. Jesus havia sido concebido não por José, o carpinteiro, pai dos outros filhos da esposa, mas pelo próprio espírito de Deus, o Espírito Santo.

Felizmente, nunca fui solicitado a acreditar nessa versão durante o tempo que passamos juntos. O desafio teria sido grande demais.

Mas tudo isso está no futuro.

Enquanto isso, Jesus e eu tínhamos nossas brincadeiras de garotos, nossas lições com Andreas. Havia também, em todos os lugares, inevitável, a presença sombria do Deus de Israel. Ele estava em nossas casas, nas ruas, nas conversas dos ricos e dos pobres. Estava ali nas histórias do passado, e Ele é a notícia quente do presente. Estava no ar, no vento, nas tempestades de inverno e na ferocidade do sol de verão. Não havia como escapar da força maligna, onipresente, tão fácil de ofender, tão raivosa e pessoal em suas punições, tão ilimitada em promessas de amor e tão mesquinha no cumprimento dessas promessas. Pecado era o que nosso Deus repudiava. Pecado e desrespeito. Podíamos lidar com o respeito, mas o pecado, tudo indicava, embora jamais o houvéssemos frente a frente, estava sempre ali, invisível, espreitando dos cantos, *nosso* pecado, dele e meu, pertencendo a nós como nossos nomes, Jesus e Judas, e inevitável.

Vivíamos dominados pelo medo dele e de suas conseqüências.

Ouço coiotes
latindo na noite.
Eles me levam de volta

a uma infância
quando todas as sombras
vestiam uma sombra

que abrigava um
fantasma. O deserto era
vivo com os mortos,

o medo dominava o
repouso, exigindo prece
e penitência, e dois

meninos pequenos tremiam
em suas camas suplicando a
Deus para perdoá-los

Pelo que eles
não sabiam ao certo, só sabiam
que eram culpados.

CAPÍTULO 3

Quando menino, havia poucas coisas de que eu gostava mais de fazer do que ir à casa de Jesus e sua família. Não tinha irmãos nem irmãs e, apesar de ser tímido e desajeitado, gostava do aconchego, dos braços, de como as crianças estavam sempre rolando pelo chão juntas, discutindo e fazendo piadas grosseiras, e eu ria quando alguém soltava um pum, todos alegando não ter culpa e fingindo desmaiar com o cheiro. Fui um filho único mimado, e aquela convivência deve ter sido boa para mim.

Eles também tinham seu tempo de orações, observação e idolatria fervorosa. Maria garantia essa regra, e José desempenhava seu papel em silêncio, engajado, mas desengajado, como se cumprisse etapas para agradar à esposa, não por abrigar alguma fé profunda. Não havia uma sinagoga adequada em Nazaré naquele tempo, mas a casa do homem que servia como nosso rabino era o local onde nos reuníamos no Sabbath. Se Jesus era mais seriamente "espiritual" do que o restante de nós, eu não notava. Mas lembro-me de ocasiões em que seu primo João esteve presente. Quando havia preces, João fechava os olhos com força e respirava arfante, às vezes rangendo os dentes. Às vezes mastigando as palavras, assentindo com tanta determinação que as veias e os tendões do pescoço tornavam-se salientes, a testa suava como se ele fosse submetido a tortura. Quando comentei esse fato com Jesus, ele riu e disse algo que o ouvi repetir mais de uma vez posteriormente, quando ele e João tornaram-se profetas e pregadores:

— Pobre João... ele leva tudo a sério.

Na infância, achei esse comentário absurdo e desagradável. Foi como quando Jesus riu alto da história de Diógenes, batendo com a mão sobre a mesa. Senti-me embaraçado e (suponho) superior. E, mesmo depois de adulto, quando meu papel de seguidor de Jesus exigia que eu levasse João a sério, tinha dificuldades para isso. Minha mãe não tinha certeza de que Jesus era boa companhia para mim. Não creio que ela tivesse permitido tal associação não fosse o fato de ele e eu estudarmos juntos e de Andreas falar tão bem dele. Minha mãe tentou persuadir-me a passar mais tempo com Tadeu; quando isso não surtiu efeito, ela sugeriu que eu levasse Jesus à nossa casa, para que ela pudesse conhecê-lo melhor. Ele a conquistou completamente. Minha mãe decretou que ele era um "sujeito encardido", mas encantador, "um pequeno cavalheiro por natureza".

Depois daquela primeira visita, ele passou a ser bem-vindo, e às vezes passava um tempo conosco. Nas noites quentes, quando sentíamos no ar o perfume de jasmim, gostávamos de acampar no jardim, em uma pequena tenda vermelha que meu pai havia comprado para mim, armando-a entre o cipreste e a fonte de forma a podermos dormir ouvindo o som da água corrente. Jesus me contou que nessas noites de calor toda a sua família dormia ao relento, em esteiras estendidas sobre o telhado plano da casa, e que todos os vizinhos faziam o mesmo. Na escuridão, podiam-se ouvir os roncos e suspiros por toda a rua e até conversas entre casas vizinhas. Teria gostado de viver essa experiência, mas sabia que minha mãe não permitiria. Desconfio de que Jesus, também, sabia que o menino rico não obteria autorização para entregar-se a tão boa diversão plebéia, porque nunca me convidou.

Minha casa era completamente diferente da dele. Vivíamos em uma vila espaçosa construída de acordo com o estilo romano. O jardim, cercado por muros, ficava no fundo, e nele havia uma fonte. Na frente, uma área aberta e elevada, ladrilhos vermelhos e pretos pavimentavam o piso. De um lado via-se a encosta da colina com suas videiras, suas oliveiras e suas hortas, e o do outro lado ficava a pequena cidade no vale, bem abaixo de nós. Depois de nossas noites na tenda, fazíamos o desjejum na varanda da frente, olhando para baixo e observando as mulheres com seus cântaros e suas vestes longas, movendo-se ao longe como aves coloridas, percorrendo o perímetro da praça enquanto os homens, também laboriosos, espalhavam-se pelas videiras com foices e enxadas, começando mais um dia de trabalho.

Nosso desjejum era sempre o mesmo, pão embebido em óleo de oliva, com um guisado de lentilhas e feijões seguido por queijo e frutas. Era comida melhor do que Jesus tinha em casa. Ele a apreciava e mostrava-se grato. Diferente do primo João, Jesus geralmente comia bem, mesmo em dias de seu ministério, quando também apreciava o vinho. Ele nunca dava muita importância ao jejum e costumava nos dizer que comida existia para ser comida e que havia um limite muito tímido e nebuloso entre a privação e o desperdício.

Eu sabia que minha condição de filho único entristecia minha mãe, que às vezes chorava por não ter mais filhos, por saber que não haveria outros. Nunca soube por quê, mas meus pais se separaram. Meu pai tinha outra casa ainda maior em Tiberíades, às margens do lago, e administrava seus negócios de lá. Quando vinha nos visitar em Nazaré, era sempre distante, formal, severo, embora nunca fosse indelicado ou grosseiro. Certa vez, alguns anos mais tarde, quando eu contava catorze ou quinze anos, fui visitá-lo em Tiberíades sem o avisar antes. Uma mulher beduína recebeu-me e, depois de conduzir-me até a sala onde estava meu pai, retirou-se para um aposento secundário. Ainda posso ver seus belos olhos amendoados observando-me por cima do véu antes de ela se retirar e fechar a porta, tudo tão discretamente que não houve qualquer ruído.

Quem era ela? Quis saber. Meu pai respondeu que se tratava de uma serva, mas eu conhecia todos os criados e sabia que a mulher não era uma deles. Argumentei que ela não tinha aparência de criada, não se vestia nem se portava como uma. Ele me aconselhou a lembrar que ele era meu pai e que por isso eu lhe devia respeito, e esse respeito me negava o direito de interrogá-lo. Antes eu já havia tentado entender por que ele não se divorciara de minha mãe, optando por se afastar dela, somente. Mas, se a mulher que a substituíra era mesmo uma árabe, suponho que ele preferisse mantê-la em segredo, preservando o casamento como um disfarce, uma cortina de fumaça. Assim, para mim, na infância, "família" significava, na maior parte do tempo, minha mãe e eu, os criados e o jardineiro.

Jesus gostava de visitar minha casa. Ele adorava nosso banheiro ladrilhado. Amava a tenda vermelha, bem como aqueles desjejuns e a vista do vilarejo. Gostávamos de ficar deitados de bruços no chão da varanda, olhando para os campos e imaginando uma campanha militar ali, um embate no qual os romanos seriam derrotados. Ousados, eles marchariam para Nazaré, uma legião inteira, suas armaduras e seus cinturões brilhando ao sol, seus tambores e o ruído dos passos firmes ecoando pelo vale. Mas nossas forças estariam ocultas, encolhidas nas encostas, e nós desceríamos, obrigando-os a recuar, e, em uma batalha que levaria a um feroz combate homem a homem, eles seriam destruídos. Quando tudo acabasse, eliminaríamos os feridos pela espada. Os poucos sobreviventes seriam feitos cativos, desarmados e destituídos de armaduras e roupas, escravizados.

Éramos muito jovens, mas nossa atitude diante de soldados romanos reais era incerta. A presença dos legionários constituía um fato da vida, mas em nossa região e nesse tempo ela não se mostrava invasiva. Após a morte de Herodes, que havia sido rei de toda a Palestina, os romanos haviam dividido o reino em quatro, cada um com seu tetrarca. Nosso segmento, a Galiléia, era governado por um dos filhos de Herodes, Herodes Antipas. Na infância, nunca ouvi ninguém falar bem de Herodes, nem mesmo meu pai, embora ele costumasse contar que as novas cidades construídas eram lindas, modernas e dignas de orgulho e aceitasse os convites para as festas e celebrações no palácio do tetrarca em Tiberíades. Mas esses chamados reis dos judeus só ocupavam seus tronos pela autoridade do poder romano, e eram realmente seus instrumentos, de forma que não despertavam respeito.

Havia uma base romana em um acampamento na periferia de Nazaré na estrada para Tiberíades, e às vezes uma legião parava ali para descansar na viagem de ou para Jerusalém. Em outros tempos, o acampamento era ocupado apenas por uma pequena unidade de patrulhamento. Quando soldados se aproximavam em grande número, Jesus e eu costumávamos ficar nos portões. Às vezes eles nos expulsavam, às vezes ignoravam-nos, e apenas ocasionalmente nos ofereciam pequenos presentes, doces ou bolos, e uma vez ganhamos uma moeda cada. De vez em quando eles conversavam conosco, perguntando nosso nome, querendo saber como se falava essa ou aquela palavra em aramaico. Os soldados que haviam servido muito tempo em nossa região costumavam ser desagradáveis, como se houvessem aprendido a não gostar da população local, a qual consideravam ingrata, suja e potencialmente rebelde. Os recém-chegados, sobretudo os mais jovens, mostravam-se mais amistosos.

Nossos pais e Andreas nos aconselhavam a ficar longe deles e dos portões do acampamento, mas era mais uma daquelas "regras" que, crianças, julgávamos terem sido inventadas para serem quebradas.

Havia tempos em que os cidadãos de Nazaré eram solicitados a abrigar soldados, um ou mais deles, dependendo do tamanho da casa, e não suponho que alguém tenha ousado recusar essa solicitação. Tivemos dois em nossa casa em uma ocasião. Eles pareciam agradáveis, polidos, gratos pelos aposentos confortáveis. Creio que minha mãe se apaixonou por um deles (um oficial, é claro), mas manteve essa paixão escondida, ou pelo menos tentou ocultá-la. Eu gostava dele, mas deixei de gostar depois de tê-lo visto espancando um camponês que o irritou na estrada do acampamento.

Jesus e eu crescemos e compreendemos que, como judeus, éramos submetidos a leis e decretos feitos em Roma por homens de crença e raça diferentes das nossas. Assim, começamos a nos ressentir por conta de nosso *status* inferior. Naquele tempo também entendíamos a natureza do poder romano, sua crueldade e implacabilidade. Temíamos os romanos e os evitávamos, pois assim não precisávamos nos diminuir para demonstrar respeito.

José, pai de Jesus, era o tipo de trabalhador esforçado que não se envolvia de forma nenhuma nas questões públicas. Ele jamais teria expressado uma opinião sobre os romanos. Mas eu sentia com certeza inabalável seu ressentimento por eles. Sentia seu ódio. Sabia que ele havia trabalhado na construção do acampamento romano, não por pagamento (porque não houve nenhum) ou por desejar conquistar favores, mas por não ter tido alternativa. O serviço custou-lhe tempo e dinheiro, conforme me contou Jesus, mas, quando comentei que ele devia ter se ressentido, Jesus adotou um ar distante e calou-se.

Meu pai era diferente. Os romanos, ele costumava explicar-me, haviam trazido ordem à nossa terra. Traziam a civilização moderna, o aprendizado, a prosperidade, até (ele ressaltava) a moralidade. Acima de tudo, eles haviam trazido o comércio, tornando possíveis várias formas de negociação. Haviam livrado as linhas marítimas de piratas e o campo de bandoleiros, e esses trabalhos teriam de ser mantidos para sempre.

— Esse governo é bom e nos faz muito bem — ele gostava de repetir, citando alguém famoso (e, provavelmente, romano). — Agora um cidadão pode ter garantias de segurança na estrada.

Sem os romanos, ele me assegurava, nossas pequenas comunidades teriam sido excluídas do mundo mais amplo, e seu próprio sucesso como comerciante não haveria ocorrido.

— Agora tenho uma caravana — ele me contou certa vez, com uma veemência que indicava uma empreitada grandiosa e arriscada — na estrada para Amã. Acha que eu poderia dormir à noite, ou esperar por um retorno seguro de meu investimento, se não houvesse legiões romanas mantendo a estrada aberta?

Indivíduos entre os senhores romanos podiam ser arrogantes, intimidadores e injustos, e ele reconhecia esse fato. Mas, coletivamente, eu devia respeitá-los, porque eles mereciam respeito.

— Pode agradecer a eles por não ser um camponês fedorento — ele persistia.

Eu não me sentia inclinado a demonstrar essa gratidão. Sabia que eles não respeitavam Israel ou seu Deus e ouvira Andreas contar que, sob o domínio romano, os judeus ricos enriqueciam, enquanto os pobres empobreciam ainda mais. Mas isso era algo que eu não repetia em casa, porque sabia que meu pai me afastaria do tutor se o considerasse culpado por ensinar o que ele chamava de "política".

Um evento em minha infância pesou mais do que todos os outros para determinar meu sentimento pelos romanos — meu preconceito, se assim preferirem —, que até hoje me acompanha. Suponho que sabíamos desde muito cedo que os romanos executavam criminosos de baixa posição social pela crucificação. Era um desses fatos de que se tem conhecimento na infância e nunca se explora, porque sinais enviados pelos adultos sugerem que é melhor não abordar o assunto. De vez em quando eu pensava nisso. Pregar alguém em uma cruz de madeira me parecia uma grande crueldade, e minha mente se negava a permanecer muito tempo com essa imagem.

Jesus e eu devíamos ter sete ou oito anos quando ouvimos que um bando de ladrões estivera interceptando e assaltando viajantes nas cercanias de Nazaré. Capturados, alguns foram mortos no momento do flagrante, outros foram presos com vida e condenados à morte. Seriam crucificados na área entre o acampamento romano e o rio, à vista de uma das principais estradas, de forma que o evento poderia ser testemunhado por qualquer um. Seria um aviso aos bandoleiros, um sinal para os cidadãos e os viajantes, uma prova de que a lei e a ordem prevaleciam.

Quando fizemos perguntas sobre essa notícia, recebemos apenas respostas breves e vagas. Era um assunto que perturbava claramente o pai de Jesus, mas ele apenas recomendou que nos mantivéssemos afastados da área. Minha mãe deu a mesma instrução. Aqueles eram homens maus e provavelmente teriam o que mereciam, mas não deveríamos nos aproximar do local da execução nos próximos quatro ou cinco dias.

Havia uma casa em ruínas bem perto desse campo, e Jesus tinha certeza de que poderia chegar lá sem ser visto, seguindo primeiro pelo rio, que estava quase seco naquela época do ano, e, depois, por uma área de arbustos pela qual ninguém passava. Ele sugeriu que, ao final de nossas lições com Andreas, no dia seguinte, fôssemos até lá e nos escondêssemos para ver o que estava acontecendo.

Chegamos a tempo de testemunhar o primeiro ladrão já se contorcendo na cruz, enquanto o segundo se debatia e tentava escapar, mas era contido pelos soldados romanos, que o esmurravam e chutavam enquanto pregos eram enfiados em suas mãos e em seus pés. O que pendia da cruz gemia, soluçando e chorando; o outro gritava e praguejava, manifestando ódio e dor enquanto a cruz era elevada e encaixada no buraco em que seria mantida em pé.

Voltamos para a cidade, e eu me sentia enojado por tudo aquilo. Sentia arrepios e forte náusea. Tinha a impressão de ser castigado pelo mais forte vento de inverno, e no instante seguinte um sol abrasador parecia queimar-me vivo. Respirava com dificuldade. Estava tomado pelo medo e pelo desgosto. E por piedade, também. Imaginava-me voltando à noite sem ser visto para libertar os ladrões de suas cruzes, matar os soldados romanos que tentassem me impedir de socorrê-los e cuidar dos ferimentos dos torturados, libertando-os. Sabia que essa era uma fantasia ridícula, mas entregar-me a ela ajudava-me a fugir da realidade, de sua crueldade; assim, evitava pensar que, enquanto os minutos se transformavam em horas, aqueles homens continuavam lá, pendurados, morrendo aos poucos.

À noite, acordei minha mãe e os criados com gritos de terror, mas, quando eles me socorreram, fingi não me lembrar do sonho que tivera.

Havíamos planejado voltar à casa em ruínas no dia seguinte, mas me neguei a ir. Jesus foi sozinho. O que ele me contou mais tarde, eu ouvi sem querer, por não ter forças para fugir do relato. Ele vira os soldados romanos usando barras de ferro para quebrar as pernas dos homens na cruz. Hoje sei que a prática tinha por objetivo acelerar a morte. Com as pernas fraturadas, eles não poderiam mais se sustentar sobre os pés pregados, pendendo apenas das mãos, e nessa posição a respiração ficaria restrita, sobrecarregando o coração, que aos poucos desistiria de bater.

Para nós, aqueles homens não eram bandoleiros ou vilões. Eram as vítimas. Testemunhar tamanho sofrimento não deixou espaço em nosso coração para outros sentimentos que não fosse a compaixão. Quaisquer que tenham sido, seus erros perdiam importância comparados ao que era feito com eles. Passamos a odiar o poder de Roma, mas também estávamos tomados pelo medo.

Quando deixei Jerusalém, há muitos anos — depois da execução de Jesus —, parti tomado pelo desgosto, não só pelo evento, mas contra tudo que representava a "cidade santa" e, principalmente, comigo mesmo. A viagem a Sidom tinha por objetivo afastar-me do passado, começar uma nova vida e criar uma nova identidade; assim, até o incêndio provocado pelo relâmpago que atingiu o carro de boi e queimou minhas poucas posses terrenas pôde ser visto como uma confirmação e uma bênção. O passado ficara para trás, e suas pequenas relíquias haviam sido destruídas.

Mas fugir da própria juventude e do próprio passado nunca é fácil. Ao longo dos anos, viajantes chegavam com notícias de minha terra natal. Mantive o distanciamento, mas a curiosidade nunca é suprimida inteiramente, e passei a nutrir um interesse especial pela persistência da seita de Jesus, pela grande quantidade de missionários que a pregavam e pela crescente confiança com que afirmavam que Jesus era o Cristo, o Messias, que realizara milagres em vida e continuava vivo após a morte.

De vez em quando meu nome era mencionado. "Judas de Iscariotes" é como me chamam nessas histórias, e sou o traidor, a personificação do mal. No final da narrativa eu sempre morro, às vezes por minha própria mão, enforcando-me (uma figueira estéril parece ser o cenário favorito), ou em um terrível acidente em que caio em um campo comprado com o dinheiro que me rendeu a traição a Jesus. Nessa versão, sou rasgado ao meio por uma estaca e meu sangue e intestino se espalham pelo chão, o qual às vezes se torna estéril e assim permanece até o fim dos tempos.

Eu ouço, sorrio e não digo nada.

Quando criança
você foge do que é ruim
recorrendo à fantasia

mas adulto
não pode ser tão rápido
e perde a corrida para a realidade.

Às vezes
à noite, lembrando o
som tedioso do prego

penetrando a carne
antes de atingir a
madeira, refugio-me

recitando os velhos
textos — Salmos, o
Cântico de Salomão —

não por
piedade ou fé em
Deus, mas porque

quando a verdade é
feia, a beleza pode
ser uma distração.

CAPÍTULO 4

Jesus e eu brigávamos — digladiávamos — como fazem os meninos (e os jovens animais), aprendendo a lutar, encontrando diversão nesse aprendizado, parando antes de sofrermos dor ou lesões mais sérias, sem nunca nos zangarmos um com o outro, ou quase nunca, e geralmente só por um momento. Minha mãe se queixava por minhas roupas estarem sempre sujas quando eu voltava dos jogos com ele. Não contava a ela que lutávamos nos campos de cevada por medo de sermos proibidos de repetir a brincadeira.

Houve apenas uma ocasião em que a briga foi real, séria, dolorosa, deixando um gosto amargo na boca e uma lembrança ainda nítida. Andreas havia preparado um jantar especial para seus três alunos a fim de marcar o encerramento de mais um período, e já estava escuro quando Jesus e eu decidimos seguir por um caminho alternativo na volta para casa, um trajeto que nos permitiria passar por uma das cavernas locais. Era assustador, mas ambos desejávamos o desafio que nos havia sido proibido anteriormente. Bandidos usavam as cavernas como esconderijos para os bens roubados e suas armas, conforme nos havia sido dito. Podíamos desvendar algum segredo que nos custaria a vida.

Não sei mais ao certo como se desenrolou a conversa que me conduziu ao erro, mas lembro-me de que havíamos alcançado a entrada da caverna quando ele aconteceu. Gritávamos coisas para o interior da gruta e ouvíamos o eco que retornava, assustando-nos, ao mesmo tempo jogando pedras na escuridão com toda a força de nossos braços, sempre conversando. De alguma forma, em resposta a algo que Jesus gritou para o escuro, lembrei-me de um comentário feito por um de nossos criados sobre ele, e o repeti.

Era uma criada, uma mulher que vinha todos os dias de sua casa, na mesma rua onde residiam Jesus e sua família, alguém que os conhecia bem. Ela sempre o cumprimentava quando o encontrava em nossa casa, sorrindo com uma familiaridade que diferenciava o cumprimento daqueles dedicados a nós, e notei que Jesus era frio com ela. O que ouvi essa mulher dizer à nossa cozinheira foi que "aquele menino Jesus" não era filho de seu pai, José. Seu verdadeiro pai era um soldado romano. Ela até citou o nome do soltado — Pantera. José, a mulher prosseguiu, havia amado Maria na juventude e, embora rejeitado por ela, permanecera tão obcecado que, ao saber que o soldado romano a abandonara grávida e negara ser pai da criança em seu ventre, ele se dispusera a casar com Maria e aceitar Jesus como seu filho.

Não sei de onde tirei a idéia de que Jesus não ficaria aborrecido se eu repetisse essa história. Talvez tenha imaginado que, se a mencionasse casualmente, como se não fosse nada especial, daria a impressão de não acreditar nela. Ou (mais provavelmente) foi só o descuido, a falta de precaução da infância. Seja qual for a explicação, a resposta foi uma fúria cega. Jesus atacou-me, esmurrou meu rosto, agarrou-me pela cintura e atirou-me ao chão. Sua ira foi tão instantânea e assustadora que escapei e fugi sem escolher a direção. Já estava alguns passos dentro da caverna quando ele me pegou novamente.

Isso aconteceu duas ou três vezes, e logo estávamos no interior do negro útero de pedra, nossos gritos e gemidos ecoando nas paredes e voltando como se pertencessem a dois outros meninos, um aterrorizado, o outro disposto a matar. Tentava me desculpar, explicar que não tivera a intenção de ofendê-lo, que não acreditava nas palavras da criada. Ele, por outro lado, só pensava em ferir-me. Em dado momento, quando me tinha imóvel no chão, ele jurou que ia me matar, que deixaria meu corpo na caverna com os morcegos, que eu apodreceria ali e seria devorado pelas hienas.

Eu não reagia, porque estava assustado demais, ou melhor, reagia apenas para poder escapar, salvar-me. De alguma forma, consegui sair da caverna, mas ele me pegou novamente, atirou-me ao chão, sentou-se sobre meu peito. Batendo minha cabeça contra o solo, ele me chamou de arrogante, imprestável, menino rico, filho de pai rico e arrogante, filho de um homem imprestável e de uma mulher estéril. Meu pai, ele disse, colaborava com a acusação romana, não cumpra os Mandamentos e não respeitava o Sabbath, e ele, Jesus, me destruiria, me esmagaria até transformar-me em inúmeros pedaços que ele deixaria espalhados pelas rochas.

Naquela altura ele estava jogando comigo, gato e rato, e, mesmo sabendo que sobreviveria, eu ainda me sentia aterrorizado. Meus membros estavam fracos, e eu não conseguia lutar. Estava humilhado. Supliquei por minha vida, pedi perdão aos prantos. Ele explorou inteiramente esse momento de poder, forçando-me a comer excrementos de camelo do chão e a lamber suas sandálias.

—Coma!—gritava, virando-me, esfregando meu rosto no chão, citando e distorcendo trechos das escrituras que havíamos lido com Andreas. — Os inimigos de Israel deverão ser pisados no lodo das ruas. Lamberão o pó como serpentes, como as coisas rastejantes da Terra. Todos aqueles que desafiaram Israel e aqueles que lucraram com o nome de Israel deverão morrer... estúpido. *Morra!*

O dia seguinte não foi de aula, mas fui procurar Jesus e o encontrei no campo onde costumávamos brincar juntos. Não sei se ele estava ali para saborear seu triunfo, ou por mera curiosidade, sem esperar encontrar-me. Mas ele já me havia vencido, e agora era minha vez de sentir raiva. A humilhação era o que mais machucava, mais do que os cortes e hematomas. O medo, que na escuridão me deixara impotente, desaparecera com a luz do dia. Queria vingança.

Eu o ataquei imediatamente, e ele apenas esboçou uma reação fraca. Joguei-o ao chão, disse que ele era o conteúdo do intestino de um beduíno, que cheirava como a axila de um pastor de carneiros, que era um mininho da mamãe, um queridinho do tutor, um vaso cheio de urina de camelo. Ele pôs os braços sobre o rosto enquanto eu esmurrava seu peito e sua cabeça. Pensei em fazê-lo comer o mesmo que eu havia comido, fezes de animal, lamber a poeira das rochas, beijar meus pés, mas temi levar a vingança longe demais e despertar novamente sua fúria.

— Nunca acreditei nas palavras daquela mulher estúpida — disse a ele (embora, de fato, houvesse acreditado ao menos em metade da história e sua fúria tivesse me induzido a pensar que todo o relato poderia ser verdadeiro, afinal). — Nunca mais quero vê-lo.

Levantei-me, chutei suas costelas mais uma vez, joguei um punhado de terra em seus olhos e me afastei. Quando estava quase fora do campo, ele atirou uma pedra que me atingiu nas costas. Continuei andando como se não a houvesse sentido. Meu orgulho estava preservado. Nossa amizade havia terminado.

Era tempo de férias das aulas, e eu não tinha com quem brincar — ou melhor, não tinha ninguém tão interessante quanto Jesus. Passei algumas tardes de tédio com Tadeu e sua irmã, Judith. Lamentava o rompimento com Jesus, mas não via como recuperar a relação. Eu o imaginava brincando com os irmãos, com todos aqueles meninos e meninas que habitavam as ruas de telhados planos do vilarejo. Ele não precisava de mim. Derramei algumas lágrimas e joguei pedras na direção do vale onde as pessoas trabalhavam em oliveiras.

Minha mãe notou que eu estava triste e talvez tenha imaginado que Jesus e eu havíamos brigado. Talvez tenha ido procurá-lo. De qualquer maneira, com ou sem intenção, ela o encontrou na rua, iniciou uma conversa e o convidou para acompanhá-la até nossa casa. Ele aceitou o convite, e brincamos juntos como se nada houvesse acontecido. A briga e o motivo que a originara nunca mais foram mencionados, nem naquele tempo, nem mais tarde, quando ele se tornou Mestre e eu, discípulo.

Mas algumas coisas que ele disse nos momentos de ira permaneceram. Eu sabia então que ele julgava minha família, que acreditava que meu pai colaborava com os tiranos romanos e traía os ditames da Torá, que não merecia respeito. Suspeito de que essa opinião tenha persistido. Jesus e sua família seguiram nos vendo como traidores — uma opinião que, mais tarde, seus seguidores também manifestariam.

Quando Jesus e eu tínhamos dez anos de idade, meu pai nos levou a Jerusalém para a Páscoa. Lembro-me de ter ouvido que o pai de Jesus havia conseguido ir até lá em algumas ocasiões para as devidas observações das tradições, mas que, nos anos recentes, eram muitos os filhos que ele teria de deixar com Maria e não havia dinheiro suficiente para que ele pudesse se afastar do trabalho. Assim, José e Maria agarraram com alegria a chance oferecida ao brilhante primogênito. Jesus veria o Templo, faria preces e ofereceria o que era chamado naquele tempo de um Sacrifício do Menino.

Não creio que meu pai se tenha importado muito com as tradições religiosas, mas ele sabia que era necessário manter as aparências para tirarmos proveito máximo (se é que teríamos algum) das conexões de nossa família. E ele decidiu que era hora de apresentar-me a meu tio, um alto sacerdote. Levar Jesus foi um subterfúgio para manter-me entretido na jornada, aliviando-me do fardo da missão.

Eu havia estado em Jerusalém anteriormente, mas lembrava-me pouco do lugar, por isso tudo me parecia novo e interessante. Para Jesus, que pouco vira da cidade além de algumas poucas visitas a Séforis e, ocasionalmente, Tiberíades, a aventura era ainda mais estimulante. Ficamos fascinados com o tamanho do templo, suas imensas muralhas, suas colunas altíssimas, as escadas monumentais e o amplo espaço interno, com a multidão e o barulho, com os gritos e a agitação constante em torno das mesas de câmbio, o soar da trombeta anunciando não sei o quê, com os balidos, gritos e guinchos dos animais levados para o sacrifício, o cheiro de excremento animal, fumaça, sangue fresco e carne cozida, o canto dos fiéis, e as vozes retumbantes dos levitas entoando hinos e salmos. Quanto mais se penetrava no Templo, mais sombrio, mais misterioso, mais solene e, ao mesmo tempo, mais ameaçador se tornava o lugar.

As mesas de câmbio ficavam no pátio, recebendo moedas estrangeiras — dracmas e dinares, por exemplo, e o que mais levassem os peregrinos — que eram trocadas por dinheiro local. Era possível gastar moeda grega ou romana em qualquer lugar da cidade, mas não ali, onde os impostos para o Templo tinham de ser pagos em dinheiro local. Em meus anos de vida adulta, como seguidor de Jesus, aprendi que grandes lucros se originavam daquele negócio e que, como tudo o mais que estava relacionado ao Templo, as mesas pertenciam às famílias dos sacerdotes, que as administravam. Foi um dos escândalos que Jesus condenou e combateu em seus últimos anos, quando sua mensagem tornou-se mais severa. Mas, ainda menino, ele olhava para aquilo tudo, como eu, com olhos cheios de inocência e fascinação.

Além do esplendor sombrio do Templo, gostamos especialmente de percorrer o bazar, levando algumas moedas para gastar e instruções claras sobre ir encontrar meu pai em determinada hora em um local de fácil localização. Descobrimos sozinhos a troca da guarda na Fortaleza de Antônia, onde se abrigava a guarnição militar romana, e voltamos para ver o lugar várias vezes. Vimos os soldados marchando e saudando e gritando ordens uns para os outros em uma praça pavimentada fora do palácio de Herodes, onde vivia o governador de Romana, Ambibulus. Começamos a aprender a geografia da cidade, incluindo os nomes de algumas portas, como a Porta do Peixe, a Porta das Ovelhas, a Porta de Efraim, onde eram executados os criminosos, e como encontrar o caminho de uma para outra.

Quando chegou a hora do Sacrifício do Menino, meu pai nos deu um pombo para cada um (resmungando contra o preço exorbitante) e guiou-nos ao banco de mármore no qual um jovem levita munido de uma faca esperava com ar aborrecido e infeliz, talvez sentindo que aquela cerimônia não santificada estava abaixo de sua dignidade. Eu fui o primeiro, entregando meu pássaro e dizendo as palavras que havíamos aprendido a dizer. Em um momento a cabeça do pombo foi separada do corpo, e a ave ficou se retorcendo e sangrando sobre a lousa.

A mão de meu pai sobre o ombro de Jesus guiou-o para frente. Ele se mantinha quieto, segurando seu pássaro junto ao peito com as duas mãos, os cotovelos salientes como asas, como se ele fosse o pássaro e a faca estivesse pronta, afiada para sacrificá-lo. O levita estendeu a mão para o pombo, mas a ave permanecia fora de seu alcance.

— Então, menino? — ele questionou. — Esqueceu a prece?

Meu pai empurrou Jesus, que abriu a boca para dizer as primeiras palavras:

— Senhor, aceite dessas mãos ainda virgens a humilde oferta dessa criança e servo... — ele parou. Nesse momento, com aparente deliberação, suas mãos se afastaram uma da outra lentamente, como se executassem um gesto mágico. O pombo caiu, recuperou-se, voou, as asas batendo tão forte que pareciam aplaudir, passou por cima da cabeça do levita, que se abaixou para evitar o choque, e foi pousar em uma rocha saliente no alto da muralha. Todos olhávamos para ele. O pombo olhava para baixo. Em um instante, decolou novamente, afastando-se pelas portas largas do Templo e buscando a luz exterior.

Ninguém falava. Eu me sentia satisfeito. Acho que todos ali sentiam o mesmo. Nós três olhamos para Jesus.

— Yahweh mandou que eu o soltasse — ele explicou com tom sereno.

— Yahweh? — repetiu o levita. — Acha que Yahweh nota sua existência, menino?

Tentei entender por que estaríamos ali fazendo o Sacrifício do Menino, se Ele não nos notava. Jesus não respondeu.

— O que Ele disse?

— Ele disse: "Liberte o pombo".

O levita encarava o menino de dez anos de idade. Pensei ver em sua expressão certo ar de humor, embora ele certamente acreditasse que deveria estar zangado. O levita nos liberou com um gesto.

— Vão embora — disse. — Outros meninos estão esperando.

Meu pai não disse nada. Tive a impressão de que ele também sorria.

Naquela tarde, enquanto meu pai me levava para conhecer o tio sacerdote em seus aposentos próximos ao Templo, Jesus ficou sozinho se divertindo. Aquele era o tio que (ouvi meu pai resmungar certa vez) havia sido convidado para assistir à minha circuncisão, mas recusara o convite alegando "pressões dos negócios". Naquele tempo, creio que ele devia ser membro do supremo conselho judeu, o Sinédrio, por isso suponho que a queixa de meu pai não tenha sido razoável.

O aposento em que nos reunimos naquela tarde era espaçoso, com paredes vermelhas, pilares brancos em um lado e um teto alto e decorado. Um enorme tapete tecido em padrões geométricos pretos e vermelhos cobria boa parte do chão. Havia sofás elegantes, caixas de cedro entalhado, mesas de tampo de mármore, cântaros de pedra e ornamentos de cerâmica.

Meu tio, mais parecido, em minha opinião, com um oficial romano do que com um sacerdote judeu, comportava-se com pompa e arrogância, prestando cada vez menos atenção em mim, enquanto meu pai falava com empenho crescente sobre meu esforço e minhas modestas realizações, tentando transformá-los em algo de grande significado. Eu sorria, respondia com alegria quando era questionado, disfarçando minhas "consoantes rurais". Meu pai parecia encolher em tamanho e confiança diante da presença grandiosa do irmão. Senti pena dele e decidi que não gostava daquele parente e nunca o procuraria para pedir favores ou ajuda.

Mas, apesar desse sentimento de ressentimento, havia outro que entrava em conflito com ele. Algo em mim — um aspecto de meu caráter que não podia identificar então — respondia positivamente ao estilo daquele lugar, ao modo como meu tio se conduzia, à beleza serena e à elegância de tudo aquilo. Na época qualificava o conjunto como romano, mas agora sei (vivendo atualmente entre os gregos) que o cenário era mais helênico do que latino; eu não conseguia abandonar inteiramente o pensamento de como deveria ser maravilhoso viver daquela maneira, cercado por coisas tão belas.

Quando voltamos ao local onde havíamos combinado para encontrar Jesus, nos degraus do Templo, ele não estava lá. Fomos procurá-lo, e o encontramos no interior do Templo, conversando com o jovem levita que estivera trabalhando no Sacrifício do Menino. O levita sorriu para nós e parabenizou meu pai por ter um filho tão inteligente, um menino capaz de recitar as escrituras em hebraico como um sacerdote do Templo.

— Se ele fosse mesmo meu filho — meu pai respondeu —, eu o teria ensinado a estar no local em que deveria estar na hora determinada.

Naqueles dias, minha crença era a crença de meus pais no Deus de Israel e no Mundo de Seus profetas, e ela se expressava de acordo com as formas prescritas. Já falei sobre meus medos da infância, mas, com a maturidade e a velhice, esses temores começaram a desaparecer. Suponho que cada um de nós tem um Deus — se é que tem de haver um — que é parcialmente pessoal, e o meu tinha mais a ver com superstição do que com misticismo. Ele era o Destino, o Inevitável, O que Estava por Acontecer — uma força muito além de minha capacidade de controle ou influência. Eu me curvava inteiramente diante dessa força, depositava meu orgulho aos pés dela como uma camisa lavada e estendida para secar sobre as rochas quentes às margens do rio; uma oferenda feita sem nenhuma esperança de retribuição, mas para o caso de haver alguma possibilidade de salvação para mim, para aqueles que eu amava. Uma tentativa de obter proteção contra o sofrimento, a dor ou acidentes.

Quanto às orações, eu sempre dizia aquelas que eram prescritas só porque eram prescritas, mas sem profundo conhecimento ou grande convicção. Minhas preces especiais nunca foram pedidos de bênção ou dádivas. Afinal, eu era um menino rico com um bom coração; raramente ansiava por *coisas*. Orava basicamente por minha mãe, que, eu sabia, vivia infeliz. Rezava para que ela pudesse ter alegria, para que fosse coberta por coisas boas, para que ela e meu pai pudessem se reconciliar.

Rezava por meu pai também, embora com menor fervor. Orava por meu cachorro. Orava por aquele pobre ladrão tremendo na cruz, para que ele tivesse a bênção do torpor e uma morte rápida.

Naqueles dias da infância, eu sabia muito pouco sobre as idéias de Jesus a respeito de Deus e seus hábitos de oração. Lembro-me de determinado momento, na sinagoga em Séforis, quando ele empalideceu, seus membros ficaram rígidos e trêmulos, os olhos giraram nas órbitas e as pálpebras baixaram. Foi como se sofresse um ataque qualquer, mas passou depressa, e depois, quando o interroguei sobre o evento, ele disse que não havia sido nada.

— Estava só fazendo uma experiência — acrescentou, inclinando a cabeça de um jeito que me pareceu falso.

Uma vez perguntei qual era sua visão de Deus. Estávamos deitados na encosta da colina, à sombra de árvores frondosas, vendo os trabalhadores colher os frutos das oliveiras. Ele pensou um pouco antes de responder:

— Não sei se tenho uma *visão* de Deus. Também não creio que O escute. Ou, caso isso aconteça, são apenas uma luz ofuscante e um tipo de ruído persistente e baixo, como o vento no deserto. Ele é mais como alguma coisa que acontece para mim. Fico maior, maior e maior, até ser o todo de tudo e, ao mesmo tempo, não sou nada. É como querer vomitar.

Mas eu me lembro da primeira vez em que vislumbrei o que estava por vir. Foi durante o período de férias das aulas, quando nos juntamos a um grupo que se reunia nos arredores de Nazaré para ouvir um pregador itinerante. O pregador segurava uma pedra e dizia que ali estava um milagre. Ele tinha uma dificuldade para pronunciar as palavras.

— Exta peta — dizia — é peu tempo. Ela contém a fetati. Ela contém Teus.

Achamos aquilo muito engraçado e fomos repreendidos e expulsos pelos fiéis, que não se divertiam com nosso riso.

Mais tarde, sozinhos à sombra dos rochedos que escalávamos para explorar as cavernas, nós nos revezamos imitando o pregador e debochando de sua deficiência. Escolhi minha pedra e recitei um ou dois textos para defender meu ponto de vista, que era o Deus vivo, mas me esforcei demais para tornar o discurso engraçado, e logo fiquei sem ter o que dizer.

Então, foi a vez de Jesus. Geralmente, ele hesitava em seu discurso, apresentando uma leve gagueira quando era afligido pela timidez ou pela dúvida, e foi assim que ele começou. Mas, à medida que desenvolvia o tema, era como se realmente acreditasse que a pedra em sua mão era Deus. Ele se esqueceu de fazer graça e imitar a língua presa do pregador. Tornou-se fluente, eloqüente. Citou textos e os recitou. Seus olhos brilhavam, a pele parecia mais pálida. Havia nele uma beleza inquestionável. As palavras fluíam como um rio que corre sob o sol.

— Vê a luz que emana desta pedra? — ele perguntou, e por um momento tive a impressão de vê-la. — É branca. Não tem cor. Remova a cor e terá o mistério da ausência de cor, do nada, o nada que é mais que alguma coisa, mais que todas as coisas conhecidas pelo homem. *Isso*, caros amigos, é a luz branca da eternidade, é o fogo sagrado. Meus irmãos... — Aqui ele fez uma pausa, baixando a voz de forma a obrigar-me a fazer um grande esforço para ouvi-lo. — Meus queridos, *isso é o Senhor*.

Eu não estava mais rindo. Nem ele. Sentia-se emocionado, à beira das lágrimas. Jesus havia ido muito além do deboche, e eu não sabia o que dizer.

Disse simplesmente "amém", e voltamos para casa em silêncio.

No início
havia o mundo, a
sentença, o texto

que fazia do
pombo um paradigma
da alma

51

e dava à
pedra que ele segurava a
luz do divino.

Ele foi seu próprio
primeiro convertido, capaz de ver ele mesmo

queimando, banhado
pelo fogo branco do
nome e do verbo.

CAPÍTULO 5

Meus filhos são artesãos, mas, também, homens de negócios. E são gregos. A mãe deles era grega, vivemos na comunidade grega e falamos o idioma em casa e em nossas relações com o mundo. Falo a língua fluentemente, inclusive penso e sonho nela, mas com o sotaque de meu aramaico natal. O hebraico que estudei com Andreas e aqueles longos textos das escrituras decorados na infância permanecem comigo, e à noite, quando as lembranças, a ansiedade e os pensamentos indesejados me impedem de dormir, sempre os recito em silêncio de forma que afastem tudo que me perturba e, então, adormeço.

Houve momentos nessas últimas quatro décadas em que quase consegui esquecer que sou um judeu. Rejeitei não só a fé de meus pais como também a cultura primitiva de minha infância. Era isso que eu queria alcançar quando vim para a região de Sidom: remover-me da dor, da morte de minha primeira esposa e da perda do filho que não chegou a nascer, e do envolvimento com a doutrina de Jesus. Suponho que devo admitir que também desejava dar as costas a meu povo, por eles terem me rotulado traidor: Judas de Iscariotes, "traidor de Jesus", tornou-se Idas de Sidom, pai de família.

Desde que completei setenta anos, porém, com a crescente sensação de que o fim da vida está próximo, sinto retornarem algumas de minhas velhas lealdades e, com elas, certas nostalgias. Às vezes desejo ter um amigo com quem possa conversar sobre o passado e, como não o tenho, e agora que Thea não está mais comigo, geralmente convido membros da doutrina de Jesus que passam por aqui para virem jantar comigo, sem nunca dizer a eles, é claro, quem sou, ou melhor, quem fui, um dos doze escolhidos de Jesus de Nazaré.

O nome que tomei quando cheguei aqui há muito tempo, o mesmo que mantenho desde então, é Idas, e meus filhos (devo dizer que seus nomes foram escolhidos pela mãe deles) são Autocylus e Antigonus. Cuidei para que eles aprendessem as artes úteis, como construir embarcações e assentar ladrilhos, por exemplo. Ambos são muito talentosos em seus ofícios, construíram uma reputação local e um negócio próspero, empregaram mercadores e empreiteiros, e logo passaram de trabalhadores manuais a administradores de negócios. Ambos prosperaram, assim como meus genros, e sou grato por isso.

Recentemente tem havido uma insuficiência de mercadores locais, particularmente no ramo de assentamento de ladrilhos, e foi isso que levou Antigonus (ou Tig, como é conhecido pela família) a uma viagem a Jerusalém, onde, desde a conclusão do castelo de Herodes há alguns anos e a subseqüente dispensa de muitas centenas de homens que nele trabalhavam, existe um grande número de trabalhadores competentes com disponibilidade para se locomoverem e mudarem de cidade, desde que o pagamento seja compensador.

Tig encontrou os homens que procurava, e dois deles estão conosco agora. Mas ele passou algum tempo lá, retido na cidade sem poder retornar, e trouxe de volta por isso um relato mais detalhado do que os que tínhamos anteriormente sobre os atuais acontecimentos.

A cidade tem vivido um turbilhão de revolta e guerra civil. A revolta é contra os romanos; a guerra civil ocorre entre judeus ricos e judeus pobres, os ricos apoiando a política de cautela e contenção, os pobres exigindo justiça e até independência de Roma. Complicando ainda mais o cenário, há facções rivais mesmo entre os pobres.

O primeiro problema sério foi provocado pelo governador romano, Florus, que exigiu dos cofres do Templo uma quantidade de ouro que dizia ser devida ao imperador à guisa de impostos. Inicialmente, o ouro foi recusado e, depois, entregue, quando os sacerdotes se curvaram às ameaças do uso de força. Isso constituiu um sacrilégio e um ultraje ao orgulho judeu. Seguiram-se tumultos, pessoas marchando pelas ruas entoando palavras de ordem contra os sacerdotes e contra os romanos. "Nenhum Senhor Além de Deus", os líderes os ensinaram a gritar, rejeitando tanto os governantes romanos quanto os sacerdotes que os apoiavam.

Florus lançou suas tropas contra os rebeldes. Muitos foram feridos, e alguns, mortos. Então, ele convocou tropas extras de Cesaréia e, para deixar claro que ele e mais ninguém estava no poder, exigiu que Jerusalém ofertasse aquela nova brigada, o que recebeu o nome de "a Grande Saudação".

A Grande Saudação é uma cerimônia (bonita de ver, desde que seu orgulho não seja ofendido) em que a cidade honra as tropas romanas e as tropas retribuem o cumprimento, saudando a cidade. Nessa ocasião, porém, Florus decretou que, como punição pelos motins, a cidade deveria oferecer a saudação, mas não a teria retribuída.

Tig estava lá nas ruas quando os poderosos de Roma marcharam ao som solene e ameaçador dos tambores de guerra. Na frente da multidão e em palanques elevados ao longo do caminho, membros do sacerdócio e das melhores famílias judias se inclinavam em mesuras reverentes, aplaudiam e acenavam com folhas de palmeiras, como se esperava que fizessem, enquanto os soldados romanos permaneciam altivos e impassíveis. Atrás dos líderes, o povo se inquietava, resmungando e praguejando. Em pouco tempo ficou impossível contê-lo. As pessoas começaram a gritar protestos, e Tig juntou-se a esse coro, repetindo "Nenhum Senhor Além de Deus" em voz alta, como todos ali presentes. Alguns se haviam preparado com antecedência e arremessavam frutas podres e ovos. Os soldados orgulhosos e altivos tiveram as brilhantes armaduras maculadas, e o espetáculo chegou ao fim.

Sacerdotes e membros do Sinédrio se viravam para a multidão do alto de seus palanques, implorando para que se contivesse, alertando-a sobre as conseqüências, apelando por calma, por contenção. Eles também foram verbalmente agredidos. A multidão ria, gritava e vaiava. Homens mais jovens começaram a correr por ali, derrubando cercas, quebrando galhos de árvores, armando-se com estacas e tábuas que removiam das carroças, munindo-se até mesmo de ladrilhos e pedras do chão. Autoridades e sacerdotes foram empurrados para fora do caminho, e arremessaram-se projéteis de todos os tamanhos e formas contra as fileiras militares que, agora, recuavam assustadas.

Para Tig (que, como todos nós, sente e esconde um forte ressentimento contra o poder romano), aquele foi um momento excitante, mas ele também sentiu medo.

Dessa vez não foi tão fácil para os romanos realizarem sua demonstração. Enquanto eles corriam à Fortaleza de Antônia e voltavam armados para impetrar punição, a multidão se dispersou. A princípio, parecia que a ordem havia sido restaurada, embora a honra romana tivesse sido atingida, mas, na verdade, o povo assumia o controle de várias partes da cidade. Em uma semana os romanos começaram a aprender que deveriam tratar essas áreas como de acesso restrito e que só pela força poderiam penetrar nelas. Um grupo de rebeldes ("terroristas", como Florus os chamou) cujos membros se intitulavam Os Homens Adaga penetrava em locais muito movimentados levando uma faca escondida sob a camisa. Sem causar alarde, eles enfiavam a lâmina nas costelas de um soldado que fazia compras em um bazar, ou nas costas de um mercador conhecido por aceitar suborno dos romanos, um cidadão que agia como informante, até de um sacerdote considerado colaborador. A multidão se afastava rapidamente, e lá estava a vítima, retorcendo-se e sangrando até a morte sobre as pedras.

Havia rumores de que ricos colaboradores e espiões subornados eram raptados, julgados por cortes populares em algum lugar sombrio da cidade baixa, onde viviam os pobres, e executados. Seus corpos eram atirados nas ravinas além das muralhas sob o monte das Oliveiras.

Tig partiu assim que pôde e teve de passar por vários postos de vigilância dos romanos. Ele só conseguiu seguir viagem depois de insistir que, como artesão grego, não mantinha qualquer ligação com a cidade judaica e nem tinha interesse em sua rebelião. Os trabalhadores por ele contratados tiveram de seguir viagem sozinhos, quando puderam. Um deles ainda não chegou aqui. Dois, cada um relatando uma história distinta, chegaram e começaram a trabalhar em nossas oficinas. Eles relatam que a revolta não vai ser suprimida com facilidade, tampouco vai simplesmente desaparecer. Mas, enquanto os judeus estiverem divididos, pobres contra ricos, facção contra facção, como ela poderá obter algum sucesso?

Desde então, temos recebido apenas notícias esporádicas. Houve um relato sobre Agripa II, o último Herodes, mediando um entendimento entre Roma e o povo, mas parece que nada adveio dessa mediação. Depois soubemos que Cestius Gallus, o governador romano da Síria, seguia para Jerusalém com uma força formidável e mais tarde ouvimos que ele e suas tropas se afastavam novamente, sem que nada houvesse mudado. Então foi a vez do general Vespasiano. Dizem que ele assumira o controle da maioria das cidades da Judéia e da Galiléia e que estava pronto para começar o ataque contra Jerusalém, quando chegou de Roma a notícia da morte do imperador Nero, e ninguém sabia ao certo quem o sucederia e qual poderia ser a decisão do novo comandante.

O Senado fez Vespasiano imperador. Ele voltou a Roma, mas mandou seu filho, Tito, com uma grande força para impor uma solução definitiva ao conflito. Jerusalém foi cercada e sitiada.

Tento não me importar com o desfecho, mas antigas emoções retornam quando permito que meus pensamentos se dediquem a elas. Meu horror de crucificações, o ressentimento contra a maneira cruel e complacente de Roma reclamar o direito de governar o mundo e nos fazer a todos subservientes. Até parte de minha velha lealdade à cidade e ao Templo retorna. Se tivesse o hábito de rezar, a sobrevivência de Jerusalém estaria entre meus principais pedidos, mas há muito me convenci de que, mesmo que haja um Deus, Ele é surdo a todas as súplicas dos humanos.

*   *   *

Ontem outro membro da doutrina de Jesus chegou a nosso vilarejo. Ele é mais velho, talvez próximo da minha idade ou um pouco mais jovem, cego, e veio acompanhado por um rapaz mais novo, que cuida dele. Como outros membros recentes da doutrina, ele se autodenomina um "cristão", o nome que adotaram recentemente tomando por base a idéia de que Jesus era mesmo o Cristo. Ele pregou na praça do vilarejo para uma multidão pequena, mas interessada. Era a velha história — a de que a autoridade e a divindade de Jesus haviam sido provadas não só pela beleza e pela profundidade de seus ensinamentos, mas, principalmente, pelos milagres que ele realizou — acima de todos, o milagre supremo de surgir dos mortos.

Ofereci a esse pregador e seu assistente uma refeição e camas para passarem a noite, e eles aceitaram a oferta sem muita gratidão, pensei, como se não fosse mais do que minha obrigação, como se eles tivessem todos os direitos. Surpreendi-me imaginando se também me comportava dessa maneira quando andava pelo mundo como discípulo. Espero que não, mas, talvez, seja da natureza do evangelista tomar sem agradecer, já que todos pensam serem os portadores dos grandes presentes.

Ele me pediu para ser chamado de Ptolomeu, um nome grego que havia adotado, e parecia relutante em revelar muito sobre si mesmo. Pedi notícias de Jerusalém, mas ele sabia apenas que a cidade estava sitiada e que provavelmente seria atacada em breve. Ele não parecia muito preocupado com a cidade, a qual, disse, o Senhor poderia julgar correto destruir, já que nela Seu Filho fora condenado à morte. Mas ele me contou que havia ficado muito perturbado ao saber que o irmão mais jovem de Jesus, Tiago, que havia sido chefe da doutrina em Jerusalém, fora recentemente crucificado.

A notícia me chocou. Minha garganta ficou apertada, e meus olhos se encheram de lágrimas. Foi com alegria que lembrei que o visitante não podia ver meu rosto. Se seu jovem ajudante notou alguma coisa, nada demonstrou. Recordo-me de Tiago como um menino de olhos brilhantes no meio daquela tribo de irmãos, os filhos de José e Maria. Não tivera mais notícias dele durante todos aqueles anos e não sabia que ele se tornara seguidor da doutrina de seu irmão.

Naquela manhã, acordei com a primeira luz e fui até a varanda. O mar estava tranqüilo e começava a pintar-se de azul com os raios de sol que surgiam por trás da montanha a leste. Havia aquele som abafado e relaxante que o oceano faz em dias de tempo firme, com uma lacuna maior entre cada recuo da maré e uma nova onda. Na rua, o povo do mercado começava a armar suas barracas, falando baixo, como costuma fazer a essa hora da manhã, consciente de que a maior parte do vilarejo ainda dorme. E, então, de longe, veio o som que conheço tão bem, que chegou a mim em intervalos ao longo da vida, o *slap slap slap* de um batalhão romano em marcha acelerada, com um único tambor abafado marcando o tempo. O som tornou-se mais claro e distinto, sem ser mais alto, até que, como era de esperar, eles surgiram, percorrendo a rua central do vilarejo em direção ao sul, para Cesaréia, formidáveis como sempre com sua disciplina, sua coordenação e sua inverossímil indiferença a tudo que não fosse o propósito coletivo.

Nesse momento, pensei nas notícias sobre o jovem Tiago (e eu ainda o imaginava como um jovem). Esquecera o relato à noite, durante o sono, e agora sentia novamente a dor causada pelo anúncio. Tiago sofrera a mesma morte cruel de seu irmão! Isso me fez odiar aqueles soldados, os controladores de nossa vida, os comandantes estrangeiros. Se não houvesse aprendido autodisciplina ao longo dos anos ou se estivesse ansiando por uma retirada rápida deste mundo, teria me debruçado no balcão para xingá-los e cuspir neles.

Ptolomeu ele
se chama e traz
(ele diz) a Palavra.

E eles com suas
armas e armaduras
trazem as graças de Roma.

Escolha então — uma vida
breve de boas estradas, bons
vinhos e boa comida

ou a vida eterna
entoando preces
no grandioso

Céu. Deus, se
eu soubesse que está aí,
eu rezaria, "Ajude-me

a escapar desses
gananciosos predadores
da alma e do estômago".

CAPÍTULO 6

Na outra noite, tive um sonho que desconfio ter sido simplesmente uma lembrança vívida. Jesus e eu, meninos de dezesseis anos então, havíamos acabado de passar pela monumental porta de Tiberíades, com suas duas torres redondas, e caminhávamos pelo *cardo* passando por belos mosaicos e afrescos coloridos. No sonho eu sentia tudo tão fresco e brilhante, excitante e moderno, quanto me parecera na época. Ao mesmo tempo, percebia que Jesus não compartilhava meu entusiasmo, ou fingia não compartilhá-lo, a fim de me fazer sentir culpado, um romanófilo, um colono, um hebreu desleal.

Enquanto caminhávamos pelo pavimento, sentindo-nos "crescidos", independentes, muito satisfeitos conosco, contentes com nossos membros tão mais fortes e nossas vozes mais profundas e poderosas, uma pedinte com uma criança doente no colo estendeu a mão, em uma súplica silenciosa. Diferentemente da maioria dos pedintes, sempre tão sujos e enfermos, ela era bela, e eu lhe dei uma moeda.

— Dê mais à mulher — Jesus ordenou.

— Dê você — respondi.

Ele examinou sua bolsa. Não havia nada.

— Como sempre — comentei.

— Como sempre porque não sou filho de pai rico como você. E também não sou egoísta. Deixei minha última moeda com o leproso do outro lado da porta.

Ele estava sempre me acusando de ser mesquinho. Tive de morder a língua para não responder que o que ele chamava de mesquinharia era só uma boa administração de meus fundos, que era fácil ser generoso quando não se tinha nada.

Dei à mulher outra moeda, maior do que a primeira, e recebi um sorriso que me fez sentir momentaneamente atordoado.

Seguimos nosso caminho e Jesus me disse:

— Você só quis dar uma moeda à mulher porque ela é bonita. Quando o leproso se aproximou de nós, você se sentiu repugnado e fugiu.

Era verdade, mas eu neguei a acusação.

— Quis dar dinheiro à mulher porque ela carregava uma criança doente.

— Mentiroso. Pensou que seria bom se a criança morresse e você pudesse fazer dela sua amante.

Ele se aproximava tanto da realidade que fiquei furioso. Estava obcecado por idéias relacionadas a mulheres e a fazer amor com elas. Jesus parecia imune a isso, mas não podia ser, não inteiramente, porque ele era capaz de penetrar em minha mente e extrair dela meus mais inconfessáveis lampejos de luxúria.

— O pensamento foi seu, excremento de camelo — eu resmunguei. — Foi você quem o manifestou.

— O pensamento foi seu — argumentou ele —, ou não estaria tão perturbado.

Ele era assim, mas não era realmente o pedante que podia parecer. Jesus era cheio de acusações, mas elas provinham da inteligência e da capacidade de análise. Eram como um jogo; como se ele testasse constantemente sua capacidade de ler-me, ou de ler Andreas e Tadeu, da mesma maneira que podia ler textos difíceis, deliciando-se com a descoberta de verdades ocultas.

Naqueles anos depois da puberdade, ele e eu nos tornamos, suponho que possa dizer, jovens intelectuais, embora houvesse diferenças entre nós. Tínhamos ambos vergonha da submissão de Israel a Roma e sabíamos (e por isso quero dizer que fomos ensinados e acreditamos nessa lição) que o Deus de Israel não permitiria que isso prosseguisse eternamente. Um dia, Ele gritaria: "Chega!". Aqueles que tinham causado vergonha ao povo escolhido de Deus provariam mil vezes a mesma vergonha. Os que nos haviam causado dor sofreriam mil vezes a dor. Nossos inimigos ficariam atolados no lodo das ruas e seriam forçados a lamber poeira como uma serpente ou uma coisa rastejante... e assim por diante.

Enquanto isso, e em contradição a isso, eu estava aprendendo a apreciar, e até a amar, certos aspectos das civilizações grega e romana: obras de arte, arquitetura, cerâmica, tecidos finos, peças de joalheria e também (algo novo e excitante) poesia e o teatro. Tiberíades, no litoral da Galiléia, onde meu pai mantinha sua residência preferida e realizava a maior parte de seus negócios, era uma cidade construída pelo tetrarca Herodes Antipas, que ainda a erigia mais ou menos ao longo das linhas da cidade de Cesaréia (embora muitos dissessem que não havia a mesma grandeza), construída no Mediterrâneo pelo pai dele, Herodes, o Grande. As ruas corriam em ângulos retos a partir do *cardo* principal, que era larga e plana, com colunas de granito nas laterais. Canos subterrâneos faziam a drenagem; as barracas do mercado localizavam-se sob elegantes abrigos de madeira e folhas de palmeira, proporcionando proteção contra o calor do sol para vendedores e compradores. As casas tinham paredes caiadas, telhados de ladrilhos vermelhos e pátios amplos e pavimentados. Os poços, muito fundos, ofereciam água fresca e limpa em abundância.

Foi Andreas quem primeiro nos levou ao teatro em Tiberíades, e também fomos com ele ver os jogos na cidade. Havia jovens atletas lutando, corridas ao estilo grego, arremesso de disco e salto. O protocolo poderia ter proibido nossa presença no recinto, porque os jogos eram realizados em honra de um ou outro deus pagão, mas eram patrocinados pelo próprio tetrarca, e meu pai não se preocupou com nossa ida aos jogos, prevenindo-nos apenas sobre ser melhor não mencionarmos o passeio na presença de minha mãe.

Jesus certamente não contou aos pais o que fizemos ali. José e Maria tinham um medo típico de cidadãos da Galiléia, uma desconfiança relacionada a novas cidades, certos de que elas eram construídas com os impostos cobrados injustamente de agricultores nos campos e que abrigavam todo tipo de vício. Mas haviam permitido que Jesus fosse porque Andreas explicou que tal atividade fazia parte da moderna educação, e Maria considerava o tutor uma espécie de enviado de Deus, uma bênção, um sinal poderoso de que alguma grandeza especial era reservada para ele.

Quanto ao teatro, éramos ambos convertidos recentes. Por um período aproximado de dois anos, retornamos com freqüência, às vezes apenas nós dois, às vezes com Andreas, ocasionalmente com Tadeu. Os atores usavam máscaras e recitavam falas em voz alta e forte que fazia as palavras parecerem mais poderosas que as do rabino — algumas vezes mais intimidadoras; em outras, mais belas. Às vezes, em comédias, as máscaras eram cabeças de animais, e uma ou duas vezes um ator representando o papel de um deus da fertilidade apresentava-se usando um enorme falo. Nenhum de nós era capaz de entender todas as palavras, proferidas em grego, mas compreendíamos o sentido, o que fazia as histórias sempre claras, e no final (morte nas tragédias, casamento nas comédias) nunca havia dúvida. Não estávamos ali procurando surpresas, mas a representação de uma história comumente familiar, do primeiro erro ou mal-entendido, passo a passo, até o amargo (ou agridoce) fim.

Em Nazaré inventávamos nossas peças, em nosso próprio idioma, e as representávamos. Essa atividade tornou-se parte de nossas lições com Andreas. Julgávamos nossa versão da história do rei Davi especialmente boa. Melhor ainda foi nossa dramatização da história de Daniel, uma comédia (ou começamos com essa intenção, já que o final era feliz) chamada *Blábláblá* na qual todos desempenhávamos múltiplos papéis.

Descobrimos que Andreas era um comediante natural. Ele desempenhou muito bem o papel de Nabucodonosor. Jesus foi Daniel. Tadeu e eu fomos Shadrach e Meshach, que Nabucodonosor mandou atirar ao fogo com Abednego, representado pelo xale de minha mãe pendurado em um gancho à luz de uma janela.

No ato seguinte, Jesus como Daniel, teve de interpretar a escrita na parede, no banquete de Belsazar. Eu fui Belsazar; depois, fui Dario, que mandou pôr Daniel na cova dos leões por sua desobediência à ordem de não fazer preces nem pedidos durante trinta dias. Tadeu teve de ser um leão, cheirando Daniel, lambendo suas pernas e rugindo como se estivesse com fome, mas descobrindo, para sua surpresa, que não tinha fome, e encolhendo-se com ele para passar a noite.

Na última parte da peça, Jesus voltava ao papel inicial. Então, algo misterioso, incompreensível e importante era revelado a Daniel. Redigimos um texto para essa parte, mas demos a ele liberdade para inventar. Cada vez que ensaiávamos a peça, as visões que ele proclamava tornavam-se mais extravagantes, sombrias e belas. Em suas palavras ressonantes, víamos os três reis ricos da Pérsia, e um quarto, ainda mais rico; víamos a cisão do "reino do mais poderoso rei" e suas partes espalhadas aos quatro ventos; víamos "o rei do Norte e o rei do Sul" indo para a batalha e causando a morte de dezenas de milhares.

Nada podia deter nosso Daniel. As palavras como as escrituras, e as escrituras como as palavras, eram uma torrente. Quando o anjo apareceu e aqueles que dormiam na poeira da terra acordaram, alguns para a vida eterna, alguns para a vergonha infinita, a voz de Jesus tornou-se mais baixa e seus olhos ficaram úmidos. Enquanto ele desempenhava o papel do profeta, olhando para o outro lado do rio e vendo o "homem vestido em linho", — indagando com tom de fome e sofrimento "Quanto tempo até o fim dessas maravilhas?", pareceu-me que ele mesmo se tornava (nas palavras das velhas escrituras) "o brilho do firmamento e a honradez das estrelas".

O final era sempre o mesmo — significado além de qualquer significado que pudesse ser apreendido completamente por seus companheiros atores, silêncio perplexo, e, depois, aplauso. Jesus, Andreas decretou, beijando-o, teria grande futuro no teatro.

Mas, apesar desse sucesso, foi nossa peça sobre Daniel que fez Jesus se voltar contra toda idéia de poesia e encenação. Aconteceu da noite para o dia. Ele percebeu, primeiro em sonho, no qual Deus lhe falava com severidade fria, condenando o que havíamos feito. Fizemos comédia com um texto sagrado. Representamos histórias em que o próprio Deus, embora invisível, tinha uma parte e um texto. Nós O incluímos em um *script*! Como pudemos crer que isso não perturbaria e ofenderia o Uno que sempre nos observava?

Jesus arrependeu-se. Jejuou e orou. Rejeitou tudo que estivesse associado ao teatro, à poesia, às peças, a vestimentas específicas, fingir viver e morrer, matar, ter filhos. Peças, ele dizia, eram inverdades. As palavras eram falsas. Os atores e aqueles que escreviam para o teatro eram farsantes profissionais. As pessoas que iam assistir a essas peças e apreciavam o que sabiam ser falso eram hipócritas.

Fiquei desapontado com ele. E ressentido. Furioso. Nós nos divertíamos tanto juntos quando escrevíamos e atuávamos! Com quem eu faria tais coisas, se não com ele?

Jesus me disse que eu não devia mais fazê-las. Devia desistir dessas coisas.

De início, tive momentos de incerteza quando me perguntava se ele poderia estar certo. Tínhamos mesmo ofendido Deus? Eu seria punido por continuar? Haveria um relâmpago cortando o céu azul? A terra se abriria para tragar-me? Mas, então, as palavras voltavam a mim, nossas próprias palavras mescladas às palavras extraídas e adaptadas dos textos sagrados de nossa religião, ou eu acompanhava Andreas para assistir a algum novo evento teatral e, enquanto a linguagem exercia seu poder sobre mim, eu experimentava ondas de prazer tão intensas que não conseguia acreditar que estava ofendendo algum poder superior, alguém no comando de tudo.

Deus, para mim, não era mais uma presença poderosa. Ele se tornara um Pai Celestial vago, flexível e inclusivo, tolerante como meu pai terreno, não tanto por amor quanto por indiferença. Era difícil acreditar que Ele tinha muito tempo para mim ou interesse no que eu fazia ou deixava de fazer, desde que não fossem atos de blasfêmia deliberada, violentos ou criminosos.

Assim, continuei indo ao teatro, embora não houvesse mais ninguém com quem eu pudesse escrever e encenar peças. Creio que deve ter sido nessa época que comecei a fazer poemas. Eu criava um poema em minha cabeça, especialmente quando caminhava sozinho à noite, e o registrava na memória. Falei sobre isso com Andreas em um momento de franqueza, quando estávamos sós. Ele me convenceu a recitar um poema, depois, dois, três... Ele foi muito encorajador (recebi um beijo!), apesar de pensar, provavelmente, que grego e latim eram idiomas mais indicados para a poesia do que o aramaico.

Falamos sobre a decisão de Jesus de não mais se envolver com teatro e suas produções. Isso entristeceu Andreas. Ele estava apreensivo quanto ao futuro do mais proeminente pupilo, e lembro-me de tê-lo ouvido dizer:

— Há uma sombra sobre nosso Jesus. Se ele não encontrar um jeito de livrar-se dela, acabará coberto como que por um manto.

Tenho ainda outra lembrança muito clara de nossas visitas a Tiberíades na adolescência, embora não saiba ao certo se o evento se deu antes ou depois de nossa discordância relacionada ao teatro. Havíamos estado nos banhos sulfurosos (outro lugar de nossa preferência) e nos sentamos ao ar livre em um final de tarde, repousando após nossos esforços, desfrutando a brisa fresca que soprava do oeste àquela hora do dia, esperando por alguém — talvez Andreas, talvez meu pai — que ia nos encontrar ali. Os banhos ficavam próximos de uma construção cor de argila com uma abóbada branca em que homens de diversas tribos se reuniam de tempos em tempos quando passavam pela cidade. Ao fundo, as águas do lago, envoltas em sombra nessa hora do dia, eram verdes e escuras, enquanto as colinas marrons ao leste brilhavam iluminadas pela radiante luz do sol. Jesus e eu estávamos apoiados um no outro, costas com costas. Eu estava sonolento, vendo a brisa fazer dançar os galhos de uma palmeira como se fossem braços lânguidos. O barulho de muitas sandálias e pés descalços aproximando-se rapidamente e um crescente rumor de vozes arrancaram-nos desse estado letárgico, e nós olhamos para a rua.

Era um funeral beduíno, e ele passou tão perto de nós que pudemos ver os rostos agitados na multidão. Estendido sobre uma tábua, carregado por jovens que podiam ser seus irmãos, o corpo de um homem ainda novo, a julgar pelo rosto de traços firmes, podia ser visto sob os panos brancos que o cobriam. A multidão seguia em marcha acelerada, quase como a dos soldados romanos, e eles gritavam afirmações enfáticas a respeito da grandeza de Deus. Não havia a lentidão morosa dos funerais, nem ranger de dentes e pranto, nem olhos inchados e lamentações. Era como uma celebração. Talvez houvesse algum motivo especial para isso, mas era como se aquelas pessoas aceitassem a morte, considerando-a não como um golpe feroz e doloroso desferido contra elas, mas como a vontade de Deus e, portanto, inquestionável.

No momento em que o grupo que carregava o cadáver esteve mais próximo de nós, o ritmo da caminhada foi reduzido por um estreitamento da estrada, e ali, quase ao alcance de nossas mãos, estava o rosto jovem que parecia ter apenas a rigidez para atestar sua morte, tal a aparência de serenidade e saúde que possuía.

A multidão seguiu seu caminho. Jesus ficou em silêncio, tocado pela proximidade da morte. Eu o fitei e reconheci algo intenso em sua expressão. Seus olhos brilhavam e pareciam não ver aquilo que olhavam.

— Eu poderia ter estendido a mão e tocado aquele corpo — ele disse.

— Sim, estavam muito perto de nós. Foi estranho, não? — devolvi.

Mas ele não me ouvia. Falava com ele mesmo.

— Devia ter feito isso. Devia ter tocado seu rosto.

Eu achava que não teria sido uma boa idéia e manifestei minha opinião.

Ele continuava olhando para o lago com olhos brilhantes, mas sem foco.

— Ele teria vivido. Eu senti... uma força. A vida daquele homem teria sido restaurada.

Não conseguia nem imaginar do que ele estava falando. Sentia-me desconfortável, embaraçado. Nada mais disse, nem então, nem mais tarde.

Para mim era
o teatro que fazia reis e
profetas mortos

erguerem-se de suas
tumbas. O mundo real
tinha limites. Aqui e agora

havia o canto
dos pássaros, videiras se abrindo
em folhas, e nossos

corpos que podiam
copiar-se. Tudo,
um dia, morreria

e a morte era muda.
Diferente de meu
amigo, que desejava

romper seu silêncio,
iluminar sua
escuridão, e pôr um fim aos

finais, o que ele
sabia que podia realizar
com o toque dos dedos.

CAPÍTULO 7

Dos três pupilos de Andreas, foi Tadeu quem amadureceu primeiro, quem provou ser o mais "normal". Eu, ainda jovem, competitivo e não muito justo, teria dito que ele era o "mais comum". "Normal", "comum", pode escolher. De repente, Tadeu cresceu. Era alto, bonito, atlético. Tinha amigos, uma vida social, era popular, pragmático, confiável, falante. Competente e seguro, não se expunha a riscos. Nunca dizia nada realmente original, mas também não o ouvíamos falar nada que fosse estúpido ou maldoso.

Certa vez eu disse a Jesus que me sentia em falta por não dar a Tadeu mais do que oferecia a ele. A resposta de Jesus foi incisiva:

— Tadeu não tem fanatismo. Ele é um soldado andarilho.

Jesus, por outro lado, desenvolvia-se em um jovem brilhante, evasivo, sensível e cheio de segredos, consciente de sua superioridade intelectual, mas, também, de sua posição social prejudicada. Ele possuía uma língua ferina, defensiva, e pessoas que nunca haviam tido a intenção de atacá-lo eram, às vezes, magoadas por seus comentários. Quando se sentia seguro, porém, e quando confiava em seus companheiros, era astuto em um sentido positivo, divertido, repleto de recursos e generoso com as informações de que dispunha. Jesus já se preocupava muito com o sofrimento dos pobres e oprimidos e podia tornar-se beligerante ou furioso ao defendê-los.

Um novo ano se aproximava, e meu pai decidiu que era hora de ter um aprendizado mais avançado do que aquele que Andreas podia oferecer. Ele encontrou um tutor para mim em Séforis, a apenas duas horas de caminhada de Nazaré, um homem com quem eu poderia abrigar-me. Tadeu e sua irmã Judith também estavam vivendo em Séforis, onde Tadeu deveria assumir a administração de um depósito de grãos de propriedade de um tio que sofrera um tipo de esgotamento por conta da morte da esposa. Judith seria governanta e cuidaria das crianças pequenas.

Andreas estava disposto a prosseguir com as aulas para Jesus, que as freqüentaria com dois outros alunos pagantes, mas Jesus nos contou que havia recusado a oferta.

— Já aceitei demais de Andreas, e ele não obteve nada em pagamento.

Caminhávamos juntos de volta para casa, depois de termos nos despedido de nosso tutor após a última aula do ano. Estávamos um pouco chorosos, porque nenhum de nós retornaria às lições.

— Ele não teria se incomodado — Tadeu opinou. — Você o viu há pouco. O pobre homem o adora!

— Bem, esse pode ser outro motivo para não voltar. É hora de seguir em frente.

— Para onde? — queríamos saber.

Ele respondeu com um de seus sorrisos irônicos.

— Para o próximo degrau da escada.

— A escada de Jacó? — perguntou Tadeu.

Jesus riu.

— Aquele que deseja subir a escada de Jacó deve estar preparado para dormir no travesseiro de Jacó.

Lembrei-me de que o travesseiro de Jacó era uma pedra.

Ele nada mais disse para explicar que planos traçava para o futuro. No dia seguinte, partiu. Sua maneira de dizer adeus foi não se despedir. Foi um tanto doloroso, mas esse era Jesus. Ninguém esperava que fosse "agradável".

Assim, ele desapareceu de nossa vida e de Nazaré. Com exceção de uma breve aparição em meu banquete de núpcias, não voltamos a nos encontrar por muitos anos.

Quando, durante o período que passei em Séforis, visitava minha mãe, às vezes também visitava José e Maria, pedindo notícias de Jesus. A resposta era sempre a mesma. Eles não tinham notícias.

— Nada — José repetia, meneando a cabeça com uma mistura de apreensão e tristeza.

Mas o meio sorriso silencioso de Maria significava, a meu ver, que eles sabiam do paradeiro de Jesus e que pelo menos ela aprovava o que o filho estava fazendo.

Um dia tive a idéia de procurar Andreas para pedir notícias. Ele me recebeu com um abraço apertado e convidou-me a entrar em sua casa, oferecendo-me figos e olivas em folhas de parreira e um copo de vinho suave.

— Ah, nosso brilhante Jesus — comentou. — Nosso querido estudioso. Não o amávamos, Judas? Não sentimos falta dele?

Eu confirmei, mas com algum constrangimento.

— Não tenho notícias dele — Andreas prosseguiu. — Eu as procuro, é claro, mas aquela mãe dele não diz nada. Apenas sorri com aquele ar superior, como se soubesse de alguma coisa que nós não sabemos. Gosto do pai dele, mas o homem não passa de um saco de amarguras, como seria qualquer homem casado com aquela mulher prepotente.

— Ela é estranha.

— Mas acho que sei onde está Jesus. Suspeito de que ele seguiu meu conselho. Ah, você não sabe do que estou falando? É claro que não. Ele não ia querer que o conselho fosse de conhecimento público.

Andreas olhou para os lados com aquele ar dramático, como se quisesse ter certeza de que ninguém nos ouvia, e abaixou-se para pôr uma das mãos sobre meu joelho.

— Eu o aconselhei a ir para o Mar Morto... para Qumran.

Fiquei surpreso. Chocado, até. Qumran era o lugar para onde se haviam retirado os homens da doutrina conhecida como os essênios. Sabia pouco sobre eles, apenas que formavam uma ordem estritamente masculina, a qual que se rebelava contra o Templo e os sacerdotes e era secreta e mística. Ouvi meu pai se referir a eles como fanáticos.

— Minha idéia — Andreas explicou — era de que *ali*, se a irmandade o aceitasse, ele aprenderia mais do que eu ou qualquer outro tutor que se dispusesse a prosseguir de onde paramos poderia ensinar. Só havia um problema. O risco.

A dúvida, ele esclareceu, era o tempo durante o qual a irmandade continuaria ensinando Jesus sem exigir que ele se ordenasse. Era isso que o deixava apreensivo. Porque, uma vez "dentro", não havia mais "fora". Tratava-se de uma associação vitalícia.

— Seria uma perda terrível — concluiu o tutor.

Ele havia contado a Jesus que, caso fosse aceito, teria de adotar um regime austero. Mas aqueles eram homens cultos, estudados, e saberiam apreciar sua mente sagaz. Jesus deveria dizer que não tinha certeza da própria vocação.

— Adie, eu sugeri a ele. Adie a decisão e aprenda tanto quanto puder. Trapaceie, se for preciso.

Respondi que tinha certeza de que esse havia sido um bom conselho.

— Bem, espero que sim, Judas. Mas é um jogo. Cada mês que passa sem termos notícias dele, maior é minha dúvida quanto à possibilidade de voltarmos a vê-lo.

Ele me perguntou sobre meus poemas e convenceu-me a recitar alguns deles. Disse dois ou três de composição recente, e ele os elogiou, algo que eu desejava e de que necessitava. Havia um sobre um sonho que o fez erguer as sobrancelhas.

— Bom — disse Andreas. — *Muito* bom! Está apaixonado, Judas?

— Apaixonado? Não. — Não sabia o que ele queria dizer. — Acho que não.

O tutor assentiu com ar sábio e nada mais disse.

Ao acompanhar-me à porta, ele indagou com um sufocado, mas inconfundível, suspiro de dor:

— Como é seu novo tutor, meu querido? Ele o está alçando a novas alturas?

— Nem queira saber. Quando se teve o melhor tutor que existe, tudo que vem depois traz apenas decepção.

— Não está falando sério.

— Estou. — E acho que ele sabia que eu dizia a verdade.

— Meu caro rapaz, lisonjas são só palavras vazias e sem nenhuma utilidade, mas escolho acreditar em você. — Ele me abraçou e deixou em minha face a umidade de uma lágrima ao beijar-me.

Era verdade que meu pai não havia feito uma boa escolha ao contratar meu segundo tutor. Ele se chamava Baruch, e sua afirmação sobre ser um acadêmico de esferas superiores era falsa, ou havia sido verdadeira em um passado muito distante. Ele não apenas sabia menos escrituras, menos filosofia e menos história do que Andreas, mas, passei a acreditar, sabia também menos do que eu. Com freqüência eu podia corrigi-lo ou até citar textos que ele desconhecia. Seu grego tinha diversos erros gramaticais, às vezes até seu hebraico era imperfeito, e ele estava longe de ser inteligente. Suas aulas, quando ele as dava, eram permeadas de uma estranha arrogância. Uma das lições que ele insistia em repetir era sobre "Regras para Reconhecer o Messias". O Messias, se algum dia aparecesse, teria de passar por um rigoroso conjunto de testes antes de meu tutor se sentir pronto para conferir-lhe um certificado de autenticidade.

Fiquei feliz por Jesus não estar mais comigo. Ele teria se sentido impaciente, ultrajado até, e todo o arranjo que, devo explicar, era muito conveniente para mim teria ido por água abaixo.

Decidi ser diplomático. Fingia aprender, e Baruch fingia ensinar. Logo ele me deixou seguir sozinho, e isso era tudo que um jovem da minha idade podia desejar. O que eu tinha de suportar com maior freqüência era sua arrogância, especialmente sobre o Sabbath, mas também sobre hábitos alimentares e de higiene. Ele acreditava em observar tais hábitos na ordem certa, no momento certo, com meticulosidade e sem a menor variação.

A esposa de Baruch, Ruth, cobria-me de cuidados maternais, alimentando-me com zelo excessivo e carinho extremado, mas eu, filho único habituado a esse tipo de tratamento, sabia como mantê-la a uma distância razoável sem a ofender. Ruth havia tido sete filhos, cinco dos quais morreram na infância, três deles na mesma semana, vitimados por uma praga terrível que se abateu sobre sua vizinhança, culpa de uma moradora que blasfemara contra o Senhor. Sacrifícios e preces haviam sido insuficientes para aplacar nossa ofendida e vingativa Divindade. Percebi que essas três mortes, eventos que a deixaram sem filhos até a chegada de novos bebês, geravam forte e permanente ansiedade. Viver naquela casa era ter sempre a sensação de que alguma coisa terrível vinda do nada poderia atingir de repente seus moradores, como uma tempestade violenta, ou uma legião armada e sanguinária. Não se podia ver qualquer sinal claro do que estava por vir, mas era possível senti-lo no ar como algo negativo, algo que só podia ser contido por preces e diligência.

Os dois filhos sobreviventes de Ruth, dois meninos, agora eram homens adultos e viviam em Jerusalém. Quando perguntei o que faziam, ela me disse que ambos trabalhavam no Templo, alimentando as lamparinas e mantendo-as sempre acesas e abastecidas, esfregando o chão dos aposentos nos andares superiores e mantendo sempre farto o suprimento de sete tipos de incenso, que deviam estar sempre queimando.

— Eles dizem que o cheiro é tão forte e doce que até as cabras espirram no monte das Oliveiras — ela comentou.

Não sabia se isso era uma piada, mas não perguntei. Ela se orgulhava dos filhos. Os dois eram apenas noviços, mas um dia seriam rabinos, Ruth estava certa. E ambos tinham belas vozes de cantores.

Eu era seu filho substituto.

— Sua pobre mãe jamais me perdoaria se eu o deixasse adoecer — ela repetia, obrigando-me a comer as refeições especiais que preparava: guisados de lentilha e feijão, carneiro assado e ervas amargas, sopas de peixe, saladas e pães de milho e cevada que assava no forno de casa. — Isso vai fazer você ganhar peso. É magro demais, meu querido Judas. Não é bom. Não tem reservas para ajudá-lo em caso de enfermidade.

Ela e Baruch não padeciam desse mal. Comiam modestamente, mas eram gordos, enquanto eu comia muito e permanecia magro.

Tinha de deduzir que meu pai pagava regiamente por minha estadia, além do preço cobrado pelas aulas, porque Baruch nunca se queixou de meu apetite, embora mantivesse sob rédeas curtas e olhar atento todos os outros aspectos do orçamento da casa. Quando ficava ansioso ou apreensivo, era por saber que não me estava ensinando nada de valor e que eu poderia ser levado dali caso relatasse tal deficiência a meu pai. Ele perderia uma valiosa fonte de renda.

As intenções de meu pai para comigo permaneciam desconhecidas. Imaginava que ainda estivessem relacionadas à ambição de restaurar um lugar mais seguro para mim no seio da família de sacerdotes. Enquanto essas intenções eram mantidas em sigilo, eu podia seguir cuidando de minha vida sem me preocupar com elas.

Foi durante esses poucos anos que me aproximei muito da irmã de Tadeu, Judith. A semelhança entre irmão e irmã era notável, mas a diferença, em minha opinião, estava no fato de que, enquanto a beleza de Tadeu sugeria saúde, uma boa dieta e uma ascendência forte, a dela representava tudo isso e mais um fator menos comum, uma graça interior que era única.

Judith tinha a aparência de uma rainha egípcia, uma jovem Cleópatra, com traços fortes, grandes olhos escuros, costas eretas e uma voz doce e melodiosa. Quando eu falava com ela, notava que se mantinha em silêncio, atenta, como se tentasse identificar algum tom sugestivo, um significado oculto entre as palavras. Havia nisso um charme especial, mesmo que fosse apenas um jogo de aparências, porque me fazia sentir importante, como se o que eu dissesse fosse algo de grande valor. Os olhos dela brilhavam. Seus lábios eram carnudos, e o sorriso, lento, caloroso e generoso. Quando ela falava, havia sempre um intervalo na voz, uma breve interrupção, uma nota mais alta que se destacava do tom predominante, uma sugestão de que ela poderia rir a qualquer momento.

Por um bom tempo, provavelmente uns dois anos, não tive consciência, não reconheci o que acontecia comigo. Ela era a irmã de um bom amigo. Pouco a pouco, tornou-se a amiga, e uma amiga mais verdadeira do que seu irmão. Conversávamos... e isso era tudo. Falávamos muito. Quando não estava com ela, pensava nela. Tudo que eu fazia e quase todas as coisas em que pensava pareciam ser próprias para os ouvidos dela.

Depois de um tempo comecei a dar aulas a Judith, tudo em segredo, porque nenhum de nós sabia se isso seria considerado apropriado. Ela não recebera qualquer ensino formal, embora houvesse aprendido muito ouvindo as aulas do irmão. Comigo, aprendeu a ler em hebraico, copiar provérbios e decorar muitas passagens. Como era a governanta e tinha o controle das chaves e do orçamento, conseguia arranjar tudo na casa de forma a ter tempo para ficarmos juntos e a sós.

Mais tarde, quando pensava naqueles dias, percebia com espantosa clareza que me havia apaixonado por ela. O que me intrigava era não ter reconhecido antes o sentimento. Além de estar sempre pensando nela, desejando estar constantemente em sua companhia, desenvolvi todos os sintomas clássicos, como ansiedade, dificuldade para dormir, sonhos tórridos, momentos de euforia, mergulhos na depressão e desânimo. Mas não tinha uma palavra para descrever o quadro. Diferentemente daqueles que haviam crescido na cultura grega, uma cultura repleta de histórias sobre o amor entre homem e mulher, homem e musa, humanos e semideuses, não possuíamos lendas que pudessem plantar essa idéia em minha mente; ou, se existiam esses relatos, eu nunca ouvira um deles. As "histórias de amor" que escutava eram sempre sobre homem e Deus. Devíamos amar o Senhor e nos fazer amar por Ele. Era aí que residia a palavra na única literatura hebraica que eu conhecia. Com as mulheres, a relação era simples: comíamos a comida que elas preparavam e tínhamos filhos com elas. Isso constituía, suponho, uma lacuna na educação que Andreas nos proporcionara.

Provavelmente, havia mais do que o suficiente disso naquelas peças a que assisti em Tiberíades, um material que poderia ter me ensinado a natureza e a loucura do amor. Sempre me emocionava com elas, mas não aprendi a relacioná-las com o restante de minha vida. Se fossem escritas em meu idioma, talvez eu houvesse capturado com maior rapidez as verdades que divulgavam a meu respeito.

Judith sabia, como as mulheres sabem tais coisas, que eu estava apaixonado por ela. Ela sabia (como me contou mais tarde) que estava apaixonada por mim e estava preparada para esperar, para sempre, se fosse necessário, pelo acender da luz.

Levei algum tempo, mas não a eternidade. Meu primeiro reconhecimento claro do estado sentimental em que me encontrava aconteceu quando líamos juntos alguns trechos do Cântico dos Cânticos. Não sei como chegamos a eles ou como os escolhemos para material de estudo, mas o efeito foi o de uma tempestade, ou o de um terremoto. Enquanto tentávamos entendê-los, o que me pareceu mais surpreendente foi aquela voz, tão diferente de todas que ouvira recitando as escrituras. A voz de uma mulher. Às vezes havia a voz de um homem também, mas só indiretamente, quando a mulher decidia representar o que ele dizia. Eles falavam de seu amor na mais extravagante linguagem, sem timidez, sem vergonha ou culpa. Era uma linguagem de amor na qual Deus não tomava parte.

"Meu amado falou, e ele me disse, Levante-se, minha bela, e venha. Pois olhe, o inverno passou, a chuva acabou e se foi, as flores aparecem; é chegado o tempo em que os pássaros cantam e a voz da pomba-rola ecoa em nossa terra. A figueira exibe verdes frutos, e as parreiras com suas uvas maduras perfumam o ar. Levante-se, meu amor, minha bela, e venha comigo."

Logo aprendemos as passagens de cor e descobrimos, ou criamos, circunstâncias em que podíamos citá-las e, como se fosse mais conveniente para nós, citá-las de maneira alterada.

— Deixe-a beijar-me com os beijos de sua boca; pois o sabor de seu amor é melhor que vinho.

— Procurei-o, mas não pude encontrá-lo. Percorri a cidade, os becos e as alamedas. Os vigias na patrulha interceptaram-me, e eu perguntei a eles: "Viram aquele a quem minha alma ama?".

— Oh, meu pombo, nos lugares secretos, nas escadas dos aposentos superiores, mostre-me seu rosto, deixe-me ouvir sua voz, deixe-me beijar sua boca.

Com planejamento e sigilo, dando a impressão de que cumpríamos tarefas que nos levariam a diferentes localizações, conseguíamos passar horas, e até metade de um dia, sozinhos, longe de casa, da família e dos amigos. Houve um piquenique em particular no qual os textos que levávamos em nossas cabeças se adequavam perfeitamente, correspondendo ao tempo e ao lugar, dizendo-nos o que deveríamos fazer.

— Olhe para você, meu amor. Como é bela! Tem olhos de pombo, sim, e, veja, nossa cama é de folhas. As vigas de nossa casa são aqueles cedros, as janelas são os abetos.

Depois daquele dia, não houve mais como voltar atrás.

> Relva macia nossa cama
> e um telhado
> de cedros onde
>
> água da fonte falava
> sobre pedras. O amor jovem
> vive mais quando
>
> não é submetido
> ao teste do real. Eu
> pisava firme,
>
> o cabrito entre
> rochas, e ela
> rosa de Sharon, lírio
>
> entre espinhos. Assim
> era, e permanece,
> asas verdes de um

inseto em âmbar
preservado por um homem
velho, o poeta

Idas de Sidom
que sorri e nunca
fala disso.

CAPÍTULO 8

Meu pai mandou chamar-me em Tiberíades. Assustei-me com a mensagem, como se houvesse sido surpreendido em falta grave, mas ele só queria minha companhia para visitar um homem importante, um rabino e amigo de meu tio, o alto sacerdote em Jerusalém. Ele não deu mais explicações, mas sugeriu que podia estar pensando em meu futuro, e isso me causou certa ansiedade. Decidi, porém, que estarmos juntos poderia servir de oportunidade para anunciar que Judith e eu nos amávamos e queríamos nos casar.

A pessoa que íamos visitar morava fora da cidade, e a jornada de ida e volta consumiu quase todo o dia, mas em nenhum momento me senti relaxado o bastante para falar sobre assunto tão delicado e importante. Comemos com o rabino, sua esposa e filha, e voltamos a Tiberíades naquela noite. Nada de grande importância foi falado durante a refeição. A conversa era truncada, nos víamos pela primeira vez e havia pouco em comum a ser discutido.

O rabino, um homem de bochechas gordas e úmidas, um homem arfante e ruidoso, perguntou sobre meus estudos, e a resposta que dei contrariou minha disposição de nunca me exibir. O rabino e meu pai deviam ter ficado aborrecidos com o relato jactancioso que ofereci de minha capacidade de dominar idiomas, mas se mostraram satisfeitos comigo e com o que ouviam. A expressão hesitante da esposa sugeria uma pessoa silenciosamente atormentada pelo esquecimento de algum dado importante, como o nome de meu pai, por exemplo, ou o motivo de estarmos ali, e ela parecia se esforçar para lembrar sem se trair. A filha, uma bela jovem que se sentava distante do grupo e passava o tempo a abanar-se, tinha a aparência de alguém cuja disposição natural é alegre, mas que se sentia aborrecida e incomodada pela situação presente.

Quando retornamos a Tiberíades, meu pai ordenou a um criado que servisse uma refeição leve e uma jarra de vinho. Nós nos sentamos para comer, e ele perguntou se eu havia gostado da jovem. Atento, alarmado até, respondi que não havia visto ou ouvido o suficiente para gostar ou desgostar.

Ele insistiu, querendo saber se eu não a achara atraente.

Disse que ela parecia ter boa saúde, que sua aparência era agradável, mas que ela não dissera uma única palavra.

— Vai descobrir que o silêncio é uma qualidade admirável em uma esposa.

Eu o encarei com um misto de revolta e desobediência. Meu pai serviu-se de pão mantendo os olhos fixos no alimento, evitando encarar-me.

— Arranjei seu casamento com ela — ele anunciou com tom neutro, casual. — Tomei o cuidado de estudar suas conexões com o sacerdócio e descobri que há importantes rabinos na família dessa jovem há seis gerações consecutivas.

Eu não respondi. Meu pai continuou:

— Essa será uma grande vantagem para você, especialmente em Jerusalém. E mais ainda para seus filhos.

— Pai, você sabe que não pode me obrigar a isso.

Ele me encarou. Estava decidido.

— Sim, eu acredito que posso.

— Nesse caso, prepare-se para enfrentar uma briga.

Ele sorriu e encheu nossos copos.

— Obrigado por me prevenir.

Decidi não discutir. Uma cena não me ajudaria em nada. Estava aliviado por não ter dito nada sobre Judith. Se houvesse revelado até mesmo que éramos amigos, ele teria entrado em ação imediatamente para impedir nossa convivência.

Fui para cama sem me despedir, disposto a encontrar um meio de impedir esse casamento.

— Que meu pai seja atacado por bandidos — pedi no fim de minhas preces, acrescentando em seguida, por medo de ser punido por Deus, ou por sinceridade, não sei — e que escape ileso, mas punido e corrigido.

Tinha uma vantagem. Meu pai havia algum tempo falava em viajar com uma de suas caravanas. Se fosse, ele explicava, teria de ser logo, antes de estar velho demais para o rigor das montanhas e dos desertos. Havia coisas nesse ramo de negócios que só podiam ser aprendidas com a verificação ocular, com que tipo de gente ele lidava a distância, se seus agentes praticavam preços honestos e pagavam a ele uma porcentagem justa, que tipo de riscos corriam as mercadorias transportadas por tão extensas distâncias, se havia outros produtos de nossa região que podiam ser comercializados.

Quase todos esses objetivos poderiam ser alcançados na primeira parte de sua jornada, que o levaria a Damasco. Mas ele falava em ir mais longe, para a Galácia, e, possivelmente, a Atenas, do outro lado do Egeu. Fingia que seria uma viagem estritamente comercial, mas eu podia identificar uma ânsia por mais, por perigo, excitação, pelo desconhecido. Anteriormente, eu havia encorajado a idéia por julgá-la recomendável a um homem de sua idade. Agora, eu a encorajava porque queria me livrar dele por tanto tempo quanto fosse possível.

Tudo já estava arranjado. Ele se desculpou por ter revelado o plano do casamento de forma tão repentina. A "disponibilidade" (como ele mesmo dizia) de uma jovem tão conveniente apresentara-se a ele também inesperadamente. Meu pai agira de forma a assegurar o compromisso antes de partir. Agora que tudo estava feito, o restante poderia esperar. O tempo que ele passaria viajando me permitiria terminar os estudos com Baruch e preparar minha mente para a vida de homem casado. Quando ele voltasse, os anúncios públicos seriam feitos, meu tio em Jerusalém seria informado, e o casamento seria realizado.

— Visite-a de tempos em tempos — meu pai recomendou. — Pense nela como a mulher com quem dividirá a cama no futuro. Você são jovens e saudáveis. Não vão se sentir repelidos por essa perspectiva, garanto.

Não argumentei, mas comportei-me como teria feito se não houvesse Judith — relutante (porque exibir entusiasmo repentino o teria deixado cheio de suspeitas), mas resignado, uma vez que não tinha o direito de objetar, tampouco havia motivos para isso.

Com a mente tomada pela aventura que o esperava, meu pai trabalhava com afinco nos últimos preparativos e não pensava em meu futuro. Ele se preparou a tempo de partir com a caravana de camelos, e eu me apresentei para dizer adeus e desejar uma boa viagem. Apesar de tudo, gostava dele e nunca antes o vira tão entusiasmado, tão ansioso e com a aparência tão radiante, quase jovem. Seu entusiasmo se estendia aos planos que traçava para mim.

— Estude muito — ele recomendou com tom prático. — E, quanto ao casamento, meu caro Judas, vai se acostumar com a idéia. — Ele me beijou nas duas faces. — Garanto que não terá motivos para se arrepender disso.

Nas semanas e nos meses seguintes, disse muitas mentiras e meias verdades. Era sorte meus pais viverem nesse momento ainda mais distantes e raramente se encontrarem. Disse a minha mãe que meu pai não se opunha ao casamento, o que era verdade, exceto por não revelar que ele tinha em mente outra mulher para o lugar de esposa. Disse à família de Judith que meu pai, informado de nossos planos no momento da partida, abençoara o compromisso e expressara pesar por não poder estar presente na cerimônia de casamento. Ele havia concordado (eu prossegui) com a escolha de Andreas, meu ex-tutor e de Tadeu, como seu substituto. Minha mãe, é claro, compareceria. Cheguei a viajar novamente para visitar aquele importante rabino e disse a ele que os planos de meu pai haviam sido precipitados e errados, que eu não pretendia me casar, que pretendia viver em celibato, dedicando-me ao estudo do aperfeiçoamento espiritual, e que considerava a possibilidade de juntar-me aos essênios. Essa última declaração o enfureceu de tal forma que tive de me retirar apressadamente e certo de que, qualquer que fosse o desfecho da situação, havia me tornado inacessível para a prometida e ela para mim.

Contei a verdade apenas a Judith e Andreas. Judith estava assustada, mas o amor nos tornava determinados e nos dava forças. Conspiramos, certificamo-nos de que diríamos as mesmas mentiras às mesmas pessoas. Andreas juntou-se à conspiração, alarmado e ansioso, aflito e entusiasmado. Eu me preocupava por estar envolvendo meu ex-tutor e amigo nessa história, mas, na data combinada, ele desempenhou seu papel com a facilidade e a confiança de um ator inato.

*

Ontem Teseu e eu ouvimos Ptolomeu, nosso evangelista cego, pregando na praça do vilarejo. Ele se mantinha em pé na beirada da fonte, equilibrando-se com uma das mãos apoiadas no ombro de Reuben, o jovem amigo que o guia a todos os lugares, prepara sua comida, lava-o e veste-o. Ptolomeu falou dos milagres que comprovavam que Jesus era mesmo o Messias prometido na escritura sagrada, sendo o último deles "o milagre dos milagres", sua ressurreição da morte na cruz.

— Naquele momento — Ptolomeu disse — uma pedra foi rolada para longe da tumba, para fora do mundo e da mente do homem. Quando, naquele terceiro dia, o Filho de Deus emergiu de sua cela fria, todos conquistamos o direito de vir com ele, de penetrar na luz da vida eterna. Eu havia vivido muito tempo, o suficiente para meus olhos falharem, mas agora, em minha idade avançada, enxergo além do confinamento de nosso mundo restrito. Além de minha escuridão pessoal, além da escuridão da tumba, vejo as luzes do Paraíso, uma cidade cintilante esperando para receber-me ao final de minha longa estrada. Enxergo porque acredito. Acredito porque vejo. Só precisamos acreditar, queridos amigos, e nos vemos livres do terrível fim da morte, libertos de sua prisão aterrorizante.

Senti o poderoso apelo que aquele homem tinha sobre a multidão. Conhecia bem a retórica e a emoção que o acompanhavam. Experimentei-as muitas vezes nos dias de minha juventude. Não importava o fato de não haver motivo para aceitar essa promessa de vida após a morte ou para aceitar em confiança as histórias do evangelista sobre milagres que deveriam servir como suas garantias. Essas pessoas, muitas delas pobres, mal alimentadas e infelizes, queriam acreditar, e para algumas esse desejo era tão intenso que se tornava suficiente.

Mas Ptolomeu ainda não havia terminado.

— Eu falo de milagres — ele continuou —, culminando no último e no maior deles, a Ressurreição. Mas deve ter havido um começo, um primeiro milagre, e hoje gostaria de lhes falar sobre isso: o surpreendente evento que deu início à eternidade. Houve um banquete de casamento na região da Galiléia. A mãe de Jesus, Maria, e o marido de Maria, José, estavam presentes. Jesus chegou tarde, e nem sei dizer se ele foi ou não convidado...

Ptolomeu contou a história com fidelidade, falando sobre como Maria notou que as jarras de vinho estavam vazias, como Jesus falou com ela brevemente, silenciando-a quando ela começou a entrar em pânico e afirmar que o casamento seria arruinado, como ele assumiu o comando, tomou o problema nas mãos, instruindo os criados a encherem as jarras com água fresca e servir as mesas com seu conteúdo.

— Tudo indicava que os temores de Maria se confirmariam — continuou Ptolomeu. — O banquete seria arruinado, os convidados ficariam desapontados, as famílias dos noivos seriam cobertas de vergonha. Mas o que havia naquelas jarras? Vinho, meus amigos. *Vinho!* Da melhor safra. O banquete foi um sucesso, o casamento transcorreu sem incidentes. Ninguém ali percebeu que houve um incidente. Por quê, agora eu pergunto a vocês, Jesus lançou mão de seus sagrados poderes naquele momento? Uma resposta é simples, óbvia e verdadeira. Nosso Senhor acreditava no sacramento do matrimônio entre um homem e uma mulher e desejou dar a ele sua bênção, não só naquele momento, mas para sempre. Mas há algo mais importante. Esse foi o primeiro de seus milagres, e o primeiro, como o último, tem especial significado. Esse é um milagre, meus queridos amigos, que Ele vai realizar para cada um de vocês, sem se importar com quanto seu coração está pesado, com que pecado atormenta sua consciência. Ele vai transformar em vinho a água de sua vida. E o que Ele pedirá em troca? Apenas que você se arrependa de seus pecados e acredite que ele morreu por você na cruz. Creiam e deixem a água de seus dias mortais ser transformada no vinho eterno.

Ele terminou dizendo uma prece em voz alta — a versão do Kaddish que Jesus nos havia ensinado a dizer em despedidas. As pessoas começaram a se dispersar, conversando enquanto se afastavam. Reuben aceitava pequenos presentes, enquanto Ptolomeu, ajoelhado na poeira, ao lado de uma mula que bebia ruidosamente da fonte, orava em silêncio, movendo os lábios, com as solas das velhas sandálias e os olhos cegos voltados para cima, para a luz do meio-dia.

Era, tive de admitir a Teseu, uma imagem envolvente.

Ptomoleu se havia abrigado em minha casa desde que chegara à cidade, e não tive coragem nem vontade de mandá-lo embora. Quando ele chegou para a refeição noturna, contei que Teseu e eu o havíamos escutado em sua pregação. Ele respondeu que Reuben já tinha reportado nossa presença na praça e que ele se sentia honrado por pensarmos que suas palavras e seus pensamentos eram dignos de nosso precioso tempo.

— Bobagem — respondi.— Você acredita claramente que sua mensagem é merecedora do precioso tempo de todos no mundo.

Ele sorriu.

— Sim, é claro. Mesmo assim, agradeço por ter me ouvido.

— Foi... — Comecei, mas me detive. Queria ser honesto com ele. — Eu o congratulo por sua eloqüência.

Ptolomeu inclinou a cabeça com modéstia e elegância.

— A eloqüência não é minha, mas do Senhor — respondeu, fazendo-me pensar que a modéstia, como meu cumprimento, não era inteiramente falsa.

Quando ele se sentou para comer a refeição que Electra serviu, perguntei sobre o banquete de casamento e o milagre. Ele havia estado lá? Testemunhara o milagre? Provara o vinho?

Não, ele respondeu, isso havia ocorrido antes de seu tempo como seguidor de Jesus, mas ouvira o relato muitas vezes. O discípulo João, com seu irmão Tiago e o pai deles, Zebedeu, haviam fornecido peixe para o primeiro banquete; assim, por acaso, haviam estado no local, entre os criados.

— A história me interessa — eu disse. — O que mais pode me dizer sobre ela?

Ptomoleu explicou que havia pouco mais a acrescentar ao que ele já relatara na praça, mas descreveu o banquete novamente, como ele fora descrito por aqueles que o testemunharam — o cenário rural, os convidados acomodados nos dois lados de uma longa mesa à sombra de uma parreira exuberante, a noiva e o noivo no centro, ladeados pela mãe do noivo e pelo pai da noiva. Ele explicou que Maria e José estavam lá como amigos do noivo, mas que ninguém esperava Jesus, que por muito tempo estivera ausente de sua casa em Nazaré. Ele chegou tarde, vestido de branco, e causara grande impressão.

— Então, as jarras foram notadas — prosseguiu Ptolomeu. — Foram entregues naquela manhã, todas vazias.

Quis saber como isso podia ter acontecido. Quanta imprevidência!

Ele meneou a cabeça.

— Quem sabe? Como essas coisas acontecem? Erros acontecem.

— Um desastre.

— Sim, teria sido, se Jesus não estivesse lá.

— E as famílias nem sabiam!

O cego Ptolomeu inclinou a cabeça e franziu a testa, como se algo em minha voz começasse a preveni-lo sobre seu ouvinte não ser inteiramente crédulo ou solidário à sua causa.

— Um milagre, sim, realmente. E só o primeiro de muitos.

Indaguei por que havia sido a mãe de Jesus quem notara as jarras vazias.

— Maria era uma mulher que notava coisas...

Isso era verdade. Não perguntei como ela poderia ter notado alguma coisa de seu lugar à mesa.

— Mas os criados... — continuei pesquisando. — Por que aceitariam instruções de um estranho, um convidado que, de acordo com seu relato, não foi convidado e não era esperado?

— Porque, Idas de Sidom, Jesus de Nazaré falou com autoridade. Quando ele pregava, as pessoas acreditavam. Quando ele ordenava, a pessoas lhe obedeciam.

Reconheci a censura em sua resposta. Ficamos ali sentados em silêncio. Ptolomeu batia na mesa diante dele, tateando em busca de um pedaço de pão e homus que minha nora ali pusera. Ele enrolou a fatia, levou-a à boca e mordeu um pedaço. Eu estava decidido a não dizer mais nada, mas não pude conter mais uma pergunta.

— Qual era o nome do noivo?

Ptolomeu balançou a cabeça.

— Disso não tenho certeza.

— Disse que ouviu a história de um amigo de infância de alguém presente à cerimônia. Não foi isso?

— Eu disse? Sim, acho que sim.

— Já ouvi essa história antes.

— Não é uma *história*, Idas...

— Uma história *real*.

— Já a conhecia?

— Ouvi essa mesma história de outro homem de sua fé. Você não é o primeiro a trazer a mensagem de Jesus a essa parte do mundo.

Ptolomeu assentiu.

— Não fui o primeiro nem serei o último. É assim que deve ser... e Deus vai abrir os ouvidos de seus abençoados.

— Seu colega de alguns anos atrás, também um divulgador eloqüente, devo dizer, como você, sugeriu que o nome do noivo talvez fosse Judas.

Ptolomeu tentou disfarçar o desgosto adotando um ar de indiferença.

— Esse é um nome muito comum, mas não creio que a informação seja verdadeira.

— Talvez o Judas que se tornou um discípulo?

Ele balançou a cabeça.

— Não creio que seja possível. Aquele Judas, Judas de Iscariotes, traiu Jesus.

— E isso impossibilita que o noivo tenha sido ele?

O homem cego pensou por um momento.

— Parece improvável, não acha? Creio que Jesus sabia desde o início quem seria seu traidor.

Dormindo longe de
casa, ao lado de uma fonte
sob folhas de palmeiras,

em um dia quando
um camelo mal-humorado
havia mordido

sua mão, meu pai
sonhou que um jovem
vestido de branco imaculado

chegava sem ser convidado
a um casamento no
lago. Isso

ele me contou muito
depois — como ele acordou
para o luar frio

e no silêncio do
deserto implorou a Deus
para não lhe dar

sonhos confusos
se seus significados
permanecessem ocultos.

CAPÍTULO 9

Jesus esteve em nosso banquete de casamento, causou uma impressão indelével, conversou com algumas pessoas, despediu-se e partiu. Ele contou a Andreas e a mim apenas um pouco sobre os essênios. Jesus obteve permissão para viver em uma caverna na periferia de sua comunidade, trabalhava longas horas em seus jardins, copiava textos no escritório da doutrina, lia duas vezes por dia para os irmãos, quando eles faziam a primeira e a última refeição, e depois disso era autorizado a fazer também ele sua refeição.

— Sobras — sugeriu Andreas.

— Excelentes sobras.

— Em uma caverna.

— Uma excelente caverna. Fresca no tempo quente, quente no frio, e sempre seca.

— Com uma cama?

Jesus riu.

— Sim, tutor. Eu tenho minha cama de enrolar em uma área mais alta da caverna.

— Espero que tenha permanecido saudável. Está muito magro.

— O Senhor é meu pastor — foi a resposta de Jesus.

Pelo trabalho, ele recebeu aulas dos irmãos e teve algumas horas de livre acesso à biblioteca.

— E eles o admiravam? — Andreas quis saber. — Eles o apreciavam?

Jesus tomou a mão dele.

— Eles apreciavam *você*, querido Andreas. Disseram que fui excepcionalmente bem ensinado.

Andreas mostrou-se satisfeito, mas meneou a cabeça e ergueu a mão, em um gesto de negação.

— Como nosso Jesus poderia ser mal ensinado? Seus olhos são lâmpadas, e os ouvidos são esponjas. Nunca perde nada. Aprenderia até com uma pedra.

Jesus nos contou que em certo ponto, que poderia ser mais cedo ou mais tarde, ele seria chamado pelo comando da ordem para fazer sua escolha: ou se juntar aos Filhos de Zadoque (como chamavam a si mesmos), ou ir embora. Enquanto isso não ocorria, ele vivia de uma forma que podia ser descrita como dura, mas repleta de surpresas e recompensas.

— O que está aprendendo? — indaguei.

Ele sorriu.

— A profundidade de minha ignorância.

— Isso é deprimente?

— Não. É necessário. É o portal.

— Para o conhecimento, é claro.

— Para o mistério.

Eu estava feliz, apaixonado, saciado de boa comida e bom vinho, cheio de esperanças para o futuro. Não tinha tempo para "o mistério".

— Poupe-me — disse.

Ele riu, compreendendo minha reação.

— Seu tempo para o mistério poderá vir — opinou. — Ou você poderá ser abençoado, e nesse caso nunca terá de viver esse tempo. Por enquanto, você é um feliz seguidor. — Ele bateu em meu braço, em um gesto de afeto e camaradagem. — E eu também sou. Adeus.

Andreas beijou-o.

— Querido menino. Volte logo.

Jesus afastou-se, acenando sem se virar enquanto caminhava. Mas ele esqueceu alguma coisa e voltou, não a nós, mas a Judith, que se encontrava a poucos passos de nosso grupo. Jesus pôs as mãos em seus braços e fitou-a com intensidade.

— Diga adeus a seu irmão por mim. E cuide de meu amigo, ali. Ele merece.

Surpresa, Judith prometeu que tentaria. Dessa vez, quando Jesus se afastou, ela gritou:

— Boa sorte.

Depois se aproximou de mim e segurou minha mão, e ficamos ali, olhando Jesus subir a encosta da colina. Quando alcançou o cume, esperamos que ele se virasse e acenasse, mas não houve nem uma pausa, nem um gesto de adeus. Ele apenas desapareceu do outro lado.

Essa foi a última vez que o vi por dois anos.

Aqueles dois anos foram vividos principalmente na casa de minha mãe, na ausência prolongada de meu pai, cuja jornada o levara primeiro a Antioquia; depois, a Éfeso e Esmirna; e então, como ele havia esperado, pelo Egeu até Atenas. Mas, mesmo ausente, ele se fazia presente, e eu vivia sob a espada da certeza de que, mais cedo ou mais tarde, teria de enfrentar sua reprovação. Porém, quando retornou e soube de meu casamento, meu pai recusou-se a falar comigo e conhecer Judith. Não lamentamos sua decisão. Ambos temíamos sua ira e sua autoridade. Mas Judith estava grávida, enfim, e eu esperava que o nascimento da criança, especialmente se fosse um menino, pudesse promover uma reconciliação — ou, pelo menos, o início de uma.

Nesse meio tempo tivemos notícias de Jesus. Foi Andreas quem as trouxe. Como parte de um tipo de aprendizado com os essênios, Jesus deveria viver — ou tentar viver — quarenta dias no deserto, alimentando-se de mel silvestre, gafanhotos e polpa e suco de certos tipos de cacto, bebendo de poças turvas e passando dias e noites em prece e contemplação. Ele fora aprovado no teste, sobrevivendo a esse período. A conquista era considerada grandiosa, e, como conseqüência, Jesus fora convidado a se juntar à ordem. Mas a decisão tinha de ser tomada imediatamente. Essa era a regra. Não podia haver precedentes. Ou Jesus ingressava na ordem, ou a deixava.

No deserto, Jesus perdeu a noção do tempo e passou alguns dias — ele não sabia dizer quantos — em uma espécie de delírio extático, em que acreditava ter sido tentado pelo Demônio e resistido, e depois disso Deus aparecera dizendo que ele deveria deixar a ordem e sair pelo mundo como pregador. Sua tarefa seria tornar conhecida a compreensão que adquirira por meio de estudo diligente, prece e contemplação. Não havia escolha possível. Era uma ordem. Ele deveria falar aos pobres, aos oprimidos, aos enfermos e aos infelizes, levando a mensagem de que eles eram amados pelo Senhor, que os queria certos de seus lugares com Ele, pois todas as desvantagens sofridas na terra constituíam exatamente seu oposto no livro do Paraíso.

Jesus, então, agradecera aos irmãos por seus ensinamentos e se despedira deles. Por alguns meses desde sua partida de Qumran, ele estivera de volta na região de Galiléia, indo de uma comunidade a outra, pregando sua mensagem com extraordinário poder e muita convicção. As multidões que ele atraía eram de trabalhadores, pescadores, gente que ganhava a vida cuidando das videiras e dos jardins, carpinteiros, donas de casa. Condutores de camelos e mulas seguindo seu caminho por entre vilarejos paravam para ouvi-lo e levavam com eles a notícia sobre novo e popular professor. Quatro ou cinco homens viajavam com ele como acompanhantes, retornando para suas casas de tempos em tempos, mas apoiando-o, às vezes seguindo na frente para anunciar que ele estava a caminho e assegurar abrigo, às vezes proclamando sua mensagem. Os dois pares de irmãos que logo seriam conhecidos como discípulos, os pescadores Simão Pedro e André, e Tiago e João, já estavam ligados à sua causa; e havia outros que pareciam prestes a se unir a ela.

Tudo isso era de meu interesse, mas não ocupava posição principal em meus pensamentos. Estava preocupado com a chegada de nosso primeiro filho. Entusiasmado, porém ansioso, porque, com a aproximação do momento, havia sinais de que Judith não estava bem. Suas pernas inchavam, e ela ficava ofegante quando subia a colina do vilarejo para nossa casa. Minha mãe, que tentava não me alarmar, não conseguia mais esconder a apreensão que se transformou em medo com a progressão dos sintomas. Quando as dores começaram, fui levado para o jardim, e as mulheres assumiram o controle da situação. No início eram minha mãe, uma criada e uma parteira. Depois vieram uma vizinha, uma boticária, outra vizinha, outra para dizer preces...

Horas transcorreram, um tempo dominado por gritos, sussurros, pés que se moviam apressados e pelo som de água sendo vertida em recipientes e aquecida na cozinha. A noite chegou quieta, parada, como se o novo dia e a nova vida não conseguissem encontrar o caminho para nascer. Quando finalmente o sol se levantou, sua luz era peculiar, fosca. Tudo parecia envergonhado por essa luminosidade, como se ela desnudasse, tornando vulnerável. O segundo dia passou, e os gritos se transformaram em soluços e gemidos, depois, em uma respiração arfante e desesperada, e, finalmente, em silêncio.

Houve dois episódios insuportáveis em minha vida, ambos envolvendo a morte de pessoas que eu amava, e experimentei um sentimento de impotência tão extrema nessas ocasiões que era como se eu existisse apenas para registrar a dor. Mesmo agora, tantas décadas depois, não sou capaz de pensar muito nisso. Não por muito tempo. Judith, a mulher que amei ao extremo, aquela que havia conhecido toda a minha capacidade de amar, partia desta vida levando com ela nosso filho, menino ou menina, jamais saberíamos, porque a criança não encontrou o caminho para a luz.

Fiquei devastado. Minha mãe fez tudo que pôde por mim e talvez tenha sido a grande responsável por eu não ter encerrado minha própria vida — embora agora, olhando para trás e conhecendo-me melhor, suponho que meus pensamentos de suicídio tenham sido apenas mais uma forma ineficiente de extravasar a dor.

Nenhuma palavra de meu pai poderia fazer com que eu me sentisse melhor, mas o que ele falou depois do funeral aumentou ainda mais minha dor. Com aquele jeito confuso, quase indiferente, como se nem sequer prestasse atenção em mim, ele disse que nossa união certamente não havia sido abençoada por Deus.

— Quer dizer que o Céu concorda com você — respondi. — Então, eu amaldiçôo o Céu e o amaldiçôo também.

Ele não era um homem religioso, mas ficou profundamente chocado. Mesmo eu, o homem racional e cético do presente, fico chocado quando recordo esse episódio.

Foi nesse período que Jesus voltou para casa, para Nazaré.

Ele chegou em seu papel de pregador itinerante. Escolheu ficar comigo e com minha mãe, sem explicar por que não se hospedaria com a própria família. Não precisava: o distanciamento entre ele e Maria, que se tornara maior com o crescimento de sua fama na região, era aparente.

Para mim, ele foi um bálsamo poderoso. Em várias oportunidades pudera ver em ação sua capacidade de ser solidário, seu poder de dar amor e fazer a pessoa se sentir único recipiente desse sentimento, mas nunca havia experimentado essa atenção exclusiva. Ele passou horas sentado comigo, segurando minha mão com ternura, enquanto eu falava sobre Judith, contando várias vezes nossa história. Disse a ele como ainda a via nas multidões, como a via de costas em uma sala cheia de gente, ou como reconhecia sua silhueta entre as mulheres na fonte, como via seus olhos, seu cabelo, seu andar, como ouvia sua voz. O mundo estava impregnado dela. Judith estava em todos os lugares, sempre. Meu coração disparava diante dessas visões, só para ser novamente oprimido pela dor quando a realidade me mostrava que não era Judith. Nunca mais seria.

Jesus submeteu-se inteiramente às minhas necessidades, que intuiu com exatidão, e à minha dor. Se os papéis fossem invertidos, eu teria feito o melhor possível, mas sei que nunca teria sido capaz de tamanhos paciência, generosidade e sensibilidade.

Enquanto ele esteve conosco, ficou acertado que Jesus pregaria na casa recentemente reformada e ampliada na qual funcionava a sinagoga de Nazaré. Era um Sabbath, e o rabino o chamou para fazer a primeira leitura. O texto que Jesus escolheu era de Isaías, e ele o leu diretamente do pergaminho, primeiro em hebraico, depois traduzido para o aramaico, a única língua que a maioria dos presentes conseguia compreender:

"O espírito do Senhor está sobre mim
Ele que me apontou para prometer
Riqueza aos pobres, felicidade aos devastados
Liberdade aos aprisionados
Luz a todos que vivem na escuridão
E conforto aos que choram."

Senti que alguns ali poderiam considerar a leitura em dois idiomas uma exibição, mas a voz de Jesus, igualmente bela nos dois idiomas, tocava as pessoas. Pude ouvi-las perguntando umas às outras quem era aquele jovem, pois certamente não poderia ser o filho do carpinteiro. Maria e José não estavam presentes, nem os irmãos de Jesus, mas duas de suas irmãs ali se encontravam, e pessoas cochichavam, apontando para elas.

Jesus terminou a leitura, curvou-se para o rabino e foi se sentar. A congregação estava impressionada. Ele conquistara a aprovação geral, mas esta ainda era frágil. Teria de ser modesto em suas atitudes para confirmá-la, e não era assim que ele se comportava. E, naquele momento, Jesus parecia ainda menos propenso à modéstia.

O rabino agradeceu-lhe a leitura e convidou-o então a seguir o próximo texto com algumas reflexões morais.

Jesus sentou-se, a cabeça baixa em oração, depois se levantou para falar. Olhou em volta, encarando as pessoas que lhe eram tão familiares, tão fáceis de interpretar.

— Aqui, hoje — começou —, por Nazaré, essa escritura se cumpriu. Estou aqui para proclamar as coisas nela prometidas.

A voz permanecia bela, mas o tom já não tinha o mesmo calor ou a mesma simpatia de antes. Ele impunha autoridade. A atitude causava inquietação na congregação. Ouvi uma voz masculina comentar que essa idéia de que o Senhor *o* convocara era ultrajante. Outro homem sugeriu que José devia dar ao filho um martelo e obrigá-lo a fazer algo de útil.

Jesus olhou para o rabino.

— Devo prosseguir?

— Por favor, continue.

Jesus apoiou um braço sobre o balcão do púlpito e inclinou-se para frente. Ele olhava com firmeza para os que os desafiavam.

— Este não era meu texto, mas talvez esse seja o momento de lembrarmos Elias, o profeta, que não encontrava o devido reconhecimento, nem abrigo, nem proteção em sua terra natal. Ele teve de deixar Israel e viajar ao território de nossos inimigos antes de encontrar alguém que o protegesse, a viúva a quem o Senhor abençoou por sua bondade. Devo lembrá-los também de que, como punição pela mal cometido contra ele, o Senhor lançou sobre a terra natal de Elias três anos de terrível seca. Grãos não brotaram. Animais morreram. No primeiro ano houve perda financeira; no segundo, fome; no terceiro, morte.

E passou a relatar outro exemplo de um profeta que não havia sido apreciado na terra de seu nascimento, mas, então, ninguém mais o ouvia. Havia interjeições. Quem ele pensava ser? O rabino pedia calma. Andreas, em um dos assentos frontais, levantou-se e, encarando a congregação revoltada, gritou:

— Por favor, amigos, suplico que deixem este homem falar.

Mas Jesus abria caminho por entre a multidão, que exigia que ele fosse embora e deixasse Nazaré. Alguém o empurrou. Ele tropeçou, recuperou-se e seguiu em frente. Vi as irmãs dele chorando de vergonha.

Eu o segui até a praça, corri atrás dele e só consegui alcançá-lo algumas ruas depois, já longe da sinagoga. Jesus ainda caminhava, furioso. Ao ouvir minha voz, ele parou e se virou.

Pus um braço sobre seus ombros.

Ele forçou um sorriso.

— Não me saí muito bem.

Era verdade, mas aquele não era o momento para emitir opiniões. Preferi abraçá-lo, demonstrando meu apoio e meu afeto.

— Você leu muito bem e disse a verdade.

Caminhamos juntos. Já estávamos na periferia do vilarejo.

— Lar é lugar onde está o ódio — ele comentou. — Nunca mais voltarei a este lugar. Jamais.

Logo passávamos pelas cavernas em que tantas vezes havíamos brincado na infância. Não sabia para onde íamos, e ele também não parecia conhecer nosso destino. Muito tempo se passou antes que Jesus parasse novamente. Dessa vez, ele me segurou pelos braços e fitou-me com ar grave, solene.

— Venha comigo — disse.

— Para onde?

— Não pergunte para onde, Judas. Apenas venha.

Ouvira dizer que outros entre seus discípulos haviam tomado a decisão no momento em que foram convidados; alguns deles abandonaram tudo que faziam para segui-lo. Não sei se isso é verdade, e certamente não teria sido verdadeiro para mim se eu não estivesse tão devastado pelo peso de uma dor que só ele sabia amenizar. Mas foi assim que aconteceu, e foi esse o desfecho. Um instante determinou os anos seguintes de minha vida.

— Eu vou — respondi.

Ele me abraçou, e juntos deixamos Nazaré sem olhar para trás.

Nada corta tão fundo
quanto o primeiro corte
de amor, de morte.

Ela na tumba
era a tumba de
nosso filho e nossa esperança.

Quis morrer
mas sabia que isso
não a traria para mais perto.

Quis também viver
mas só com ela
e nosso filho.

Patético era meu pranto
como se a dor fosse
nova para o mundo.

Jesus era o remédio
para meu sofrimento. Quando ele
chamou, eu o segui.

CAPÍTULO 10

No ano seguinte, Jesus descobriu todo o seu poder como orador, e sua fama se espalhou pela região. Estávamos sempre em movimento, mas ele fez da casa de Simão Pedro, em Cafarnaum, seu quartel-general. Um aposento vago lhe havia sido reservado desde sua primeira visita, quando ele fora informado de que a sogra de Simão Pedro estava muito enferma, quase morrendo, e a curara.

Cafarnaum era um conjunto de muralhas e fontes que pareciam brotar naturalmente das rochas e do solo, apesar do caráter improvável de tal impressão. Havia uma delas, uma gruta com uma fonte, ao lado da casa de Simão Pedro. Jesus tomou um pano que a esposa de Simão Pedro havia colocado sobre a testa da mãe doente e foi até a gruta encharcá-la em água fresca. A gruta era muito bonita, com água escorrendo por entre samambaias que pendiam das pedras como se quisessem mergulhar na piscina de água cristalina com piso de pedregulhos. Entre os pedregulhos havia sempre algumas garrafas bem fechadas com o vinho de Simão Pedro.

Jesus ficou ali alguns minutos, ouvindo a água correr, meditando, comunicando-se com Deus.

— Ali você não precisa rezar — ele contou depois. — Só precisa ouvir. O lugar diz as preces por você.

Jesus pôs o pano molhado e fresco novamente sobre a testa da enferma. Ela estava muito fraca, agitada, e tinha dificuldades para respirar. Fazia dias que não conseguia dormir ou comer, e havia falado apenas algumas poucas palavras arfantes compondo sentenças desconexas. Mas, enquanto Jesus estave ali, sentado a seu lado, segurando sua mão e umedecendo-lhe a testa, ela se acalmou pela primeira vez em mais de uma semana. Logo adormeceu, e foi um sono tranqüilo. Ele permaneceu ao lado da enferma por várias horas. Quando finalmente deixou o quarto, a mulher ainda dormia. O sono se prolongou até o anoitecer, e a noite toda até a manhã seguinte. Ao acordar, ela ainda estava fraca, mas descansada e sem febre.

Os membros da família, particularmente a esposa de Simão Pedro e a própria enferma, não esperavam salvação, certos de que a doente teria apenas mais algumas horas de vida. A mulher contou depois como, em seu delírio febril, ela se vira vagando sem destino pela superfície escura de um rio, de onde era levada para um mundo desconhecido além da margem oposta à dela. Era possível ver essa outra margem, onde havia muitas pessoas vestidas de branco, e ela ouviu lindos cânticos. Então, foi como se o barqueiro que a conduzia recebesse um chamado, e ele retornou à margem da qual haviam partido. Jesus, todos concordaram, ordenara a volta do barco à margem dos vivos.

— Nunca vi ninguém chegar tão perto da morte e recuperar-se — Simão Pedro costumava dizer a todos que o ouviam. — Um dia nos preparávamos para encomendar a mortalha, e no outro ela estava em pé. Foi um milagre.

Havia muita conversa sobre milagres, e naqueles dias iniciais de ministério Jesus se mostrava incomodado, como se sofresse algum desconforto. Alguém o procurava e dizia:

— Mestre, no mês passado você abençoou meu filho moribundo, e ele se recuperou.

Jesus respondia naturalmente:

— Fico feliz por ele estar novamente bem de saúde.

Ele sempre pedia às pessoas para não repetirem essas histórias sobre curas milagrosas, e eu costumava me perguntar se esse pedido era sério, porque nunca fazia diferença. As histórias eram sempre repetidas. Não só repetidas, mas aumentadas, exageradas além do reconhecimento. As pessoas se aproximavam para ouvi-lo não só por sua eloqüência mas também por sua reputação de operador de curas.

Se ele não fosse um orador tão fascinante, a reputação relacionada aos outros poderes não teria sido aceita tão universalmente. Ouvi-lo pregar era sentir que aquele homem era capaz de tudo. Sua grande força estava nas palavras, na linguagem. Eu o ouvia com grande freqüência, mas era sempre como se fosse a primeira vez. Ele ficava em pé e silencioso, esperando que o espírito o movesse. Podia dizer apenas duas palavras, "Queridos amigos", ou uma frase simples, "O Senhor nos reuniu aqui à sombra dessa árvore...", e depois se calar novamente. As pessoas pediam silêncio umas às outras e tentavam ouvi-lo. No silêncio da praça do mercado ecoavam outra sentença, outro silêncio, outra sentença. Devagar, ele ia abrindo o leque esplendoroso de imaginário e parábolas.

Jesus raramente falava com tom retumbante naqueles primeiros sermões. Na verdade, ele quase nunca erguia a voz. Os textos que havíamos memorizado na infância eram citados e agrupados, como que aleatoriamente, e se entrelaçavam como os fios de uma corda, ou um arranjo de flores, em uma bela declaração organizada, uma celebração ao poder do Deus de Israel e uma promessa do que Ele faria pelos pobres, doentes e desafortunados, pelos intimidados e oprimidos.

Eu, é claro, sempre me emocionava. Sentia arrepios, meus olhos se enchiam de lágrimas, e não continha os sentimentos. Ficava tomado por lembranças de Judith. A linguagem era bela. Era prece, profecia e poesia. Mais do que tudo, ela parecia elogiar e celebrar a si mesma. Era esse o milagre.

Havia ocasiões (não sempre, mas o suficiente para manter o mistério) em que Jesus parecia olhar dentro de si mesmo, ou para o céu, ou para qualquer lugar onde estivesse a origem de seu poder, sem encontrar nada. A mágica lhe era negada, e parecia ainda mais mágica por ele não poder acioná-la, ou invocá-la, por um simples ato de sua vontade. Ele precisava de inspiração, de um sopro do além. E o que poderia ser isso se não o sopro de Deus?

Muito mais tarde, quando ele sentiu que sua vida estava ameaçada e decidiu nos treinar, os doze, para que levássemos sua mensagem pelo mundo quando ele não mais estivesse presente, Jesus nos disse:

— Não preparem um discurso. Não se ponham em posição defensiva. Não pensem nas conseqüências. O Espírito Santo os guiará. Tenham fé, e as palavras virão. — Esse era seu jeito. Havia sido assim desde o início.

Ele pregava caridade e pregava esperança, mas havia também uma mensagem subliminar. Ele nos incentivava a olhar para frente, para um tempo no qual Israel seria governado pelo Deus de Israel. Parecia inocente, mas sugeria que o Deus de Israel não o governava agora, o que, por sua vez, sugeria, a quem se dispusesse a refletir sobre o assunto, que Ele havia sido usurpado pelos romanos e por aqueles que os serviam ou se deixavam acovardar por eles. Herodes, o Templo e suas famílias de sacerdotes.

Viajamos pela região da Galiléia, de vilarejo em vilarejo, colhendo seguidores (e flores!) nesse progresso. Às vezes não éramos bem-vindos; às vezes nos recebiam com hostilidade. E havia aquelas raras ocasiões, como já relatei, em que o poder de Jesus o abandonava. Mas tais coisas aconteciam cada vez menos à medida que sua fama se espalhava. Fama, afinal, é uma entidade que se alimenta de si mesma. Podemos dizer que Jesus se tornou famoso na região, como um astro, uma celebridade. As pessoas queriam contar que o tinham ouvido, que ele falara pessoalmente a elas, que haviam tocado suas vestes ou recebido a bênção de sua mão.

E era como abençoados que todos nós nos sentíamos naquele tempo. Não seria eterno, mas, enquanto durou, acho que todos devemos ter experimentado tudo aquilo (e posso afirmar com certeza por mim) como um novo amanhecer, uma revolução. O sol brilhou e o orvalho (que sabíamos ser proveniente do monte Hermon, a montanha sagrada) caiu, fazendo o deserto se abrir em flor, fazendo florescer as árvores, as videiras, os grãos e os canteiros. Quando fico acordado à noite, como acontece com homens idosos, direciono meus pensamentos para aquele tempo admirável e vejo Jesus sorrindo, distribuindo sabedoria e bênçãos, caminhando com passos tão leves que era como se cansaço e fracasso, seca, fome e doença houvessem sido banidos da Terra. Minha dor estava lá, mas era mantida distante. Lembranças de Judith podiam me tomar de súbito em qualquer momento, como uma dor aguda e repentina, mas, quando isso acontecia, e quando a dor parecia estar além de minha capacidade de suportá-la, eu podia me voltar para meu amigo e ser confortado. Mesmo que o acordasse no meio da noite, ele nunca reclamava e sempre me ouvia.

Jesus, nós sentíamos, tinha "sorte", se essa não for uma palavra muito banal para descrever alguém sobre quem desceu o dom celestial. Aquela "sorte", aquele dom, pertencia-lhe, mas Jesus era generoso e sempre queria dividi-la conosco, distribuí-la.

Raramente nos afastávamos da água, ou do Jordão, e, se nossos pescadores tinham um mau dia e se queixavam do resultado de seu trabalho, Jesus se aproximava da margem do rio e dizia (sem saber nada sobre pesca):

— Experimentem do outro lado do barco.

Ou sugeria que remassem até uma área de sombra lançada sobre a superfície da água por uma única nuvem.

— Parece um dedo apontando — ele dizia.

Resmungando e dizendo que seria inútil, depois de terem tentado de tudo sem encontrarem peixe, os pescadores seguiam as recomendações e voltavam quase sempre com as redes carregadas de pescado.

— Um milagre — todos gritavam.

Jesus ria e respondia:

— Bobagem. Vocês só não querem admitir que sou melhor pescador.

Ou podíamos ter viajado um dia inteiro sem comida e, cansados e irritados, nos víamos na periferia de um vilarejo desconhecido, certos de que não encontraríamos ali nenhum alimento naquela noite, e, de repente, a estrada poeirenta se enchia de crianças correndo, gritando, dando-nos as boas-vindas, jogando flores em nosso caminho e anunciando que, informados sobre nossa chegada, os moradores haviam preparado um piquenique para o profeta Jesus e seus amigos.

Como poderíamos não sentir, como sentiam todos aqueles que o seguiam, que Deus estava abençoando Jesus e, por intermédio dele, abençoando-nos, seu grupo, seus (como nos tornamos mais tarde) discípulos?

Ele possuía um talento especial com os loucos, o que lhe conferiu uma reputação de ter poderes contra os maus espíritos. Jesus não os temia. Seus gritos e suas ameaças nunca o assustaram ou afastaram. Ele se aproximava devagar, silencioso, falando com eles como falava com todos, com aquela voz calma e bela, segurando uma de suas mãos, se pudesse, às vezes imitando-os, dançando (ele era um dançarino gracioso), ou cantando com eles em sua voz clara e afinada. Nunca falhava. Ele os acalmava. Nós, que assistíamos a tudo, dizíamos ter visto o mau espírito ser expulso... e seguíamos com ele, sem olhar para trás para ver se o espírito maldoso retornava. A história se espalhava, ganhando novos detalhes.

A pequena multidão de amigos e simpatizantes que o seguiam quando era possível, mulheres e homens, ia crescendo, e Jesus decidiu que deveria haver doze seguidores "oficiais", por falta de palavra melhor para descrever nossa posição. Ele escolheu doze porque o número era conveniente, administrável, compondo assim um grupo não muito grande para ser alimentando da caridade dos vilarejos, o suficiente para que pudesse haver algumas ausências quando os deveres com o lar, a família e o trabalho os chamassem de volta, deixando ainda alguns para garantir a proteção do grupo nas peregrinações. Mas ele também escolheu doze porque era esse o número dos filhos de Jacó e, portanto, das tribos de Israel das quais eles foram patriarcas.

Lembro-me do dia em que ele nos informou de sua decisão. Descansávamos ao meio-dia sob árvores de acácia. As cores, o verde da água e o púrpura das colinas na margem distante, sobre Cafarnaum, eram adoráveis, mesclados em tons pastel pela luminosidade do sol alto. Jesus havia pregado em um vilarejo próximo, e nos preparávamos para comer o alimento que o povo local nos dera.

Éramos apenas os doze, sem nenhuma ausência e nenhum excedente, algo que raramente acontecia antes de nossa fatal campanha em Jerusalém. Jesus estava de ótimo humor e deu a notícia, não como um pronunciamento solene, mas com espírito brincalhão. Ele nos disse que queria ser um Jacó moderno, um "homem simples vivendo em tendas" (como contavam as escrituras).

— Vocês serão meus filhos — ele resumiu. — Meus doze patriarcas.

O que me surgiu na cabeça naquele momento foi que Jacó tinha um irmão gêmeo, e que seu irmão Esaú, um imprestável ganancioso, vendera sua metade da herança que lhes pertencia por um prato de lentilhas.

— Quem é seu Esaú? — perguntei.

— Não há nenhum Esaú. — Ele pensou por um momento antes de acrescentar: — A menos que seja o Demônio que me tentou no deserto.

Mais tarde, quando os outros não estavam por perto, disse a ele que Andreas me havia explicado que seu Demônio no deserto havia sido uma alucinação, resultado da ingestão da polpa e do suco de cactos.

Jesus sorriu.

— Acho que tinha alguma relação com a fome.

— Quarenta dias se alimentando de mel silvestre e gafanhotos! Não me admiro!

— Refiro-me à fome do divino.

Eu pensei um pouco nisso.

— Pessoas famintas costumam ver coisas...

— Às vezes enxergam a verdade.

Pouco depois disso, viajamos para ir ao encontro de seu primo João, que também se tornara um pregador itinerante, conhecido por sua insistência no ritual de lavar os pecados nas águas do Jordão. Tinha a fama de ser sério e sombrio em seus sermões, um moralizador, um defensor da punição e adepto de previsões catastróficas, além de costumar punir-se, também.

Seu acampamento ficava ao sul da Galiléia, na rota das caravanas que iam de Jericó a Hamom, e acho que a disposição de Jesus de ir tão longe a fim de vê-lo e ouvi-lo em ação era uma questão não de rivalidade, mas de interesse profissional. Quando se está em determinado ramo, é preciso saber quem mais atua nele e o que estão fazendo.

Viajamos sem pressa, seguindo o traçado do rio quase sempre a pé, às vezes convencendo um ou outro barqueiro a nos levar. Perguntávamos às pessoas que encontrávamos o que elas sabiam sobre João Batista (ele se tornara muito conhecido e comentado); encontramos novos amigos que nos deram comida e abrigo.

No último dia de viagem, acampamos em um local onde havia uma fonte brotando das pedras pouco acima da margem do rio. Era a região baixa do deserto em que o Jordão se aproxima do Mar Morto. Mas em lugares como esse, nos quais a água brota de uma fonte subterrânea, tudo ganha vida. Havia relva, arbustos e flores de todas as cores.

— Por que ele não realiza seus batismos aqui? — perguntei.

— É raso demais — Jesus explicou. — Deve haver imersão total.

— Mas é um lugar tão lindo!

Jesus balançou a cabeça.

— Beleza não é uma palavra que o primo João inclua em seu livro.

Na manhã seguinte, chegamos ao acampamento. João estava lá, reunindo um grupo e preparando aquelas pessoas para que tomassem com seriedade aquilo que ele queria que compreendessem. Seria uma experiência que os livraria do pecado. Ele se encontrava imerso até os joelhos, com os braços magros erguidos sobre a cabeça, encarando o pequeno rebanho e preparando-o para o banho. Atrás dele, o rio era largo e marrom, e na margem oposta galhos e plantas dançavam impulsionados pelo vento. Além dessa faixa verde via-se a esterilidade clara da areia do deserto e de rochas secas.

Eu não teria reconhecido João de minhas lembranças da infância. Ele estava bronzeado, quase negro, e tão magro quanto se podia esperar de alguém que vivia dos alimentos oferecidos pelo deserto.

Barba e cabelo não eram cortados havia muitos anos e pendiam soltos, empurrados para trás ou para o lado pelas mãos esqueléticas. Ele vestia um pano sobre as partes íntimas e uma pele de camelo atravessada diagonalmente sobre o peito, pendendo de um ombro, presa à cintura por uma tira de couro. A pele caía solta sobre as pernas finas, e a cabeça estava nua.

Acho que ele nos viu imediatamente e reconheceu Jesus, que continuou pregando, talvez até em voz mais alta e com tom mais severo, falando sobre os "turistas da alma", gente que ia ver João, o louco, fazer seus batismos e se divertir com ele. Se havia uma dessas pessoas entre nós naquele dia, eram víboras, não homens, e não poderiam esperar os benefícios celestiais prometidos pela experiência do batismo.

Mas João já seguia em frente, abordando cobras maiores e ainda piores: os Herodes, que haviam levado a vergonha ao povo de Israel posando de seus reis; os sacerdotes do Templo, que cobriram de vergonha o Deus de Israel posando de Seus ministros.

Seria possível, ele perguntou, que um verdadeiro rei dos judeus se abrigasse sob escudo romano? Poderia um verdadeiro rei dos judeus ser alguém com tão pouco respeito pelas leis de Deus que ousava tomar a mulher do irmão e fazê-la sua?

Eram essas as vergonhas de Israel. Nós, porém, não precisávamos participar delas. Podíamos voltar nossas costas para elas, como ele fizera. E estávamos assinalando, nós que ali estávamos imbuídos de boa-fé, que era essa nossa intenção.

— Arrependam-se, então — ele nos incentivou. — Flagelem suas almas. Punam seus corações. Castiguem-se diante de Deus. Destruam o pecador que vive em cada um de vocês, mesmo que isso deixe um fragmento tão pequeno de ser que mal possa sustentar uma vida. Pensam que falo com grande poder? Pois eu digo que sou só um verme aos pés de um touro furioso. Sou uma mosca voando sobre águas estagnadas na quietude da tarde quando uma violenta tempestade se forma para cair. Alguém virá, e não tardará, e suas sandálias eu não serei digno de amarrar. Posso batizá-los com água, mas ele os batizará com fogo. Posso repreendê-los com palavras, mas ele vai separar o joio do trigo e os carneiros dos bodes. Ele vai demolir o Templo, e vai destruir o mundo. Ele vai nos trazer o fim dos tempos. Quem sou eu? Sou apenas um profeta. Sou uma voz gritando no vazio. Mas sou um aviso e digo a verdade. Ouçam-me, arrependam-se, sejam batizados e sejam salvos!

As pessoas gritavam "amém" e "aleluia", e todos nos adiantamos, seguindo João, que se virava para penetrar na parte mais profunda do rio. Ele tinha água na altura da cintura, e ali, um a um, nós nos submetemos ao chamado do profeta para clamarmos pelo perdão de Deus, pela purificação e pela bênção. Feito o pedido, todos éramos mergulhados inteiramente na água e mantidos submersos por algum tempo, mais do que o necessário, em minha opinião, já que aquilo era só um ato simbólico de absolvição, não uma faxina geral.

Não posso dizer que tenha saído da água me sentindo mais do que molhado e sem ar. Jesus submeteu-se ao batismo como todos os outros, e não foi reconhecido por ninguém como alguém das relações do profeta, até que todo o processo foi concluído e a multidão daquele dia começou a se dispersar.

Os primeiros tinham grande afeto um pelo outro, não havia dúvida disso, mas também existia certa rivalidade misturada a uma boa dose de desaprovação de ambas as partes, sentimentos que persistiam desde que os dois eram apenas meninos. Eu tinha certeza de que Jesus julgava João exagerado, desprovido de sutileza, um desajeitado nos meandros da teologia. João devia considerar Jesus brando demais, sempre tão pronto a perdoar naqueles dias, cheio de parábolas sagazes, de sutilezas e indiretas. Mas eles se cumprimentaram com beijos, satisfeitos com o encontro, e se sentaram para conversar.

Meia dúzia de seguidores de Jesus, eu entre eles, ficou sob as árvores. Imaginávamos como e onde poderíamos comer uma refeição decente (não havíamos tomado nenhum desjejum) e se teríamos de dividir com João os gafanhotos crus, já que ele era conhecido por sempre recusar alimentos cozidos de qualquer tipo, incluindo pão. Fizéramos essa pergunta quando estávamos a caminho dali, e Jesus respondera como sempre, dizendo que não devíamos nos preocupar com comida ou bebida. Deus proveria.

— *João* proverá — eu o corrigira. — E é isso que está nos preocupando.

Jesus sorrira.

— Posso afirmar com base nos dias que passei no deserto que não há nada melhor do que mastigar um punhado de gafanhotos quando se está com fome.

No entanto, depois da imersão, recebemos um jarro de leite de cabra para dividir entre nós, alguns figos e mel silvestre em folha de parreira, de forma que parte da ansiedade se abateu, embora a fome ainda persistisse em parte.

Eu estava ao lado de Bartolomeu. Mais jovem dos discípulos, Bart vivia animado, exagerando tudo, interpretando erroneamente todo e qualquer sinal, sempre perdido, envolvido pela beleza e pelo poder de Jesus.

Todos éramos leais a Jesus. Formávamos um time, ele era nosso capitão, e nos orgulhávamos de sua fama, especialmente porque parte dela respingava sobre nós. Podíamos discutir entre nós, mas mostrávamos ao mundo uma união inabalável. Mas Bart era mais que leal. Ele era cego. Estava apaixonado. Jesus nunca errava. Jesus era o maior.

— Notou o que João disse sobre Jesus? — ele me perguntou. — Ele reconheceu que Jesus é seu Mestre!

Fiz um meneio com a cabeça, irritado com mais esse excesso do jovem ingênuo.

— Não creio que ele tenha dito qualquer coisa sobre Jesus.

— Não ouviu? Ele disse que virá alguém cujas sandálias...

— Ele não será digno de amarrar. Sim, eu ouvi. Ele disse isso. E estava se referindo ao Messias.

Em um sussurro triunfante, Bartolomeu respondeu:

— Tolo! *Ele falava sobre Jesus!*

Ptolomeu, nosso
evangelista visitante
relata

como Jesus extraiu
demônios de um
louco. Eles voaram

para uma vara de
porcos que, por sua vez,
entraram em pânico e correram

para o mar. Eu
lembro de algo diferente
é claro —

como fomos culpados
pelo estouro dos porcos
e solicitados a partir;

como o fazendeiro
amaldiçoou-nos, chorando
sua perda, enfurecido

próximo da loucura;
e a culpa que
sentimos. Realmente, parecia

que, se aqueles eram os meios
de Deus, eles eram
obscuramente misteriosos.

CAPÍTULO 11

Havia sempre mulheres em nosso grupo; algumas, esposas de discípulos, embora eu tenha notado que a maioria delas permanecia em casa e duas ou três desaprovavam intensamente a ligação dos maridos com Jesus. Algumas eram esposas ou viúvas que acreditavam ter com Jesus uma dívida de gratidão por ele ter curado um membro da família, geralmente um filho, de alguma enfermidade. Outras esperavam cura para elas mesmas. Algumas, eu pensava, estavam apaixonadas por ele, fascinadas por sua aparência, pela voz rica, por seu charme e sua virtude, e havia sempre uma ou outra que levava para ele uma refeição especial, ou pedia uma chance de lavar seus pés, ou solicitava permissão para untar sua cabeça com um óleo caro. Mas Jesus olhava para elas — e olhava para todos nós — com uma expressão tão igual, tão benevolente, tão neutra, que não acredito que quaisquer inconveniente ou perturbação pudessem advir daquilo.

Elas vinham e iam. O número de mulheres aumentava e diminuía, elevando-se sempre que o relato de um milagre se espalhava e, depois, declinando até que houvesse outro. Éramos um grupo heterogêneo. Havia algumas pessoas encantadoras entre os seguidores, outras bem estranhas e algumas nada íntegras. Outras eram estúpidas, densas como tijolos, e algumas eram loucas. Eu estava sempre notando as diferenças, avaliando, criticando, atribuindo pontos positivos e negativos. Esse era meu jeito, meu temperamento. Houve um tempo em que ele também foi assim; agora essas distinções pareciam não atrair a atenção de Jesus. Havia desaparecido o rapaz sagaz e intolerante de nossa infância e da juventude. Com os essênios, ele parecia ter aprendido o segredo da tolerância. Desde que o aceitassem de acordo com seus termos, e como seu líder, todos eram bem-vindos, todos eram criaturas de Deus e amados por um Pai cujos braços estavam sempre abertos para recebê-los.

Essa abertura para tudo era admirável à sua maneira, mas eu não conseguia fazer dela um exemplo a ser seguido. Não conseguia nem mesmo admirá-la, embora soubesse, pelo menos racionalmente, que é provável que devesse. Tal atitude afrontava meu senso de ordem. Parte de mim julgava esse comportamento descuidado, negligente.

— Como pode suportar essa criatura a seu lado? — eu perguntava.

Jesus sorria e não respondia, ou dizia:

— Desde que ela suporte estar a meu lado, não há problema algum.

Ou, se eu tornava minha queixa enfática demais, muito explícita, ele me beijava de maneira debochada no rosto e dizia:

— Judas, querido, no fundo você é um fariseu.

Quando me preocupava com nossa próxima refeição (eu vivia faminto), ele me censurava por ser excessivamente apreensivo. Incentivava-me a olhar para os corvos, que não semeiam nem colhem, mas que o Senhor mantém sempre alimentados.

Eu queria dizer que essa atitude "não se preocupe, Deus proverá" era muito boa para ele, que aprendera com os essênios a viver de migalhas, mas eu era diferente. Se tivesse o trabalho de observar os corvos, em vez de apenas usá-los como exemplo entusiástico, Jesus notaria que, de um jeito todo próprio, embora não semeassem nem colhessem, eles trabalhavam duro pelo alimento que consumiam.

Mas, a essa altura, ele já tinha certo grau de autoridade sobre mim. Não era mais meu amigo de infância. Eu precisava dele, reconhecia-o como meu líder, e por isso permanecia em silêncio enquanto me rebelava por dentro.

E, então, quando eu estava prestes a chegar ao limite de minha paciência, preparando-me para protestar veementemente pelo fato de um de nossos simpatizantes ser um ladrão ou um bandoleiro e afirmar que precisávamos de mais ordem e disciplina, ele dizia alguma coisa bombástica durante uma conversa ou em um de seus sermões, algo tão belo que eu me perdia em admiração e sentia vergonha de mim mesmo.

— Olhai os lírios do campo. Eles não trabalham, não podem se mover, mas Salomão em toda sua glória não conseguiu macular tal beleza.

Ele sempre falava nos "puros de coração", e nele. Naquele momento, compreendi o que isso significava. Ele era o exemplo da frase. Esse era seu caráter, ou a parte que se desenvolvera em Qumran com a irmandade. Mas era uma qualidade que, eu sabia — ou pensava saber —, não poderia sobreviver no mundo real sem ser testada ou maculada.

Ele nunca perguntava como seus seguidores viviam a vida. Havia relacionamentos irregulares entre eles, uniões "pecaminosas", mas ele parecia não saber, ou não querer saber. A mensagem era o que importava, e depois de nossa visita a João no rio a mensagem passara a ser ainda mais de amor, caridade, harmonia, perdão e paz. Era como se a escuridão e o trovão retumbante da pregação de João, suas ameaças, sua falta de charme e delicadeza houvessem ajudado Jesus a definir o caminho diferente que seus sermões deveriam seguir. Naquele tempo não se ouvia Jesus falar sobre serpentes.

Não devemos julgar os outros. Se alguém merecia ser condenado e punido, esse era um assunto para Deus, não nosso. O nosso era solidariedade, compreensão e perdão. Devíamos amar não só nossos próximos como também aqueles que nos odiavam, que desejavam nosso mal, que conspiravam contra nós. Se alguém nos batia no rosto, devíamos oferecer a outra face para que o agressor pudesse nos agredir novamente, se sentisse essa necessidade. Se alguém nos pedia uma moeda, ou um agasalho, devíamos dar duas moedas, dois agasalhos; se alguém nos pedia para fazer alguma coisa, devíamos fazer o dobro.

Os fracos eram abençoados e herdariam a terra. Os misericordiosos receberiam misericórdia. Os famintos, os doentes, os pobres e deprimidos seriam alimentados, curados e alegrados. Os puros de coração veriam Deus.

Eram essas suas promessas, e ele as oferecia com tamanha inocência que os ouvintes sentiam que havia garantias, como um selo de reconhecimento carimbado no Céu. E se, por seguir esse tipo de vida, nos víamos odiados e malfalados em nossas comunidades, devíamos, ele nos dizia, ficar felizes, porque esse também havia sido o caso com os profetas de Israel. Estaríamos com os profetas no Céu.

Ele nos mantinha em movimento e gostávamos disso, especialmente aqueles de nós que não tinham laços, nenhuma família dependente, nenhum sentimento de que havia trabalho ou negócios sendo negligenciados em casa. Ele preferia vilarejos e comunidades rurais, evitando, geralmente, as cidades maiores. Também se mantinha afastado de fortes militares e cidades de regimentos. Às vezes, notávamos alguns poucos soldados romanos ouvindo no fundo de um grupo enquanto ele pregava, mas não havia sinal algum de ameaça ou cunho oficial em seu interesse.

Vez por outra, alguns discípulos também reconheciam na multidão homens que, sabiam, pertenciam a uma das residências de Herodes Antipas. Pensávamos que esses provavelmente tinham sido plantados como espiões, e Jesus tomava o cuidado de não lhes dar motivos de delação ou queixa. Havia em sua mensagem um elemento de rebelião, mas sempre oculto, indireto, não específico. Questionado por um espião se as pessoas deviam pagar seus impostos, ele respondeu que se devia dar a César o que é de César, e a Deus o que é de Deus. A resposta parecia simples, mas, quanto mais se refletia sobre ela, mais ambígua ela se tornava.

Jesus também evitava Nazaré. Uma vez, quando a rota mais curta para nosso próximo destino nos levaria a atravessar nossa cidade natal, ele insistiu em um caminho alternativo. Perguntei sobre sua família, sugeri que devíamos aproveitar para visitá-los, mas seu rosto enrijeceu, ele meneou a cabeça e se virou.

— E Andreas? — persisti.

Ele se manteve de costas para mim.

— Já dei minhas instruções.

— Tenho mãe morando em Nazaré.

Meu comentário o fez virar para mim com os olhos brilhantes.

— E eu tenho um Pai no Céu.

Fiquei atônito. O que ele queria dizer?

— Bem, vá você para o Céu, então — respondi. — Eu vou para Nazaré.

E fui. Passei duas noites com minha mãe, muito tempo no banheiro da casa, banhando-me, e a convenci a preparar para mim refeições abundantes. Fui visitar Andreas, que me preparou outra refeição, não muito abundante, mas maravilhosamente rica em ingredientes e (como ele mesmo diria) "lindamente apresentada".

Disse-lhe que não devia se ofender por não ver Jesus.

— Ele não perdoou Nazaré. Disse que sacudiu das sandálias a poeira do chão de sua terra natal e que não vai voltar.

— Não estou surpreso. Nós o tratamos muito mal. — Andreas contou que ouvira um dos irmãos de Jesus dizer que ele era insano e devia ser trancafiado. — Ouvi histórias sobre suas pregações. Sobre as curas... — O tom sugeria que ele não estava inteiramente contente.

Eu respondi que era uma pena que ele não o houvesse escutado em seus melhores discursos.

— Dizem que há... — Andreas hesitou antes de concluir — milagres?

— Curas. Sim, parece que sim.

Ele me perguntou se eu vira alguns desses eventos pessoalmente, e respondi que achava que sim.

— Cegos curados? Aleijados que voltaram a andar?

Expliquei que sempre usávamos essas frases como metáforas. Nem sempre deviam ser tomadas ao pé da letra.

— Mas são. Sempre.

Encolhi os ombros. Sabia que havia mal-entendidos. Exageros. Andreas persistiu:

— Então, não houve milagres.

— As pessoas afirmam que sim.

— Mas você não os viu.

Contei que testemunhara pessoas curadas de suas enfermidades. E vira um louco, um que parecia completamente descontrolado, misteriosamente acalmado por Jesus. Reconheci não ter visto nada que pudesse ser chamado de milagre. Não de maneira inequívoca. Ainda não.

— O tempo há de chegar — concluí.

Ele suspirou e bateu em meu braço.

— Sim, suponho que sim.

Quando voltei a Cafarnaum, encontrei meus companheiros discípulos em estado de excitação. Alguma coisa havia acontecido — um milagre (ou "outro milagre") —, mas cada novo relato que ouvia era diferente do anterior. Um homem do vilarejo, alguém da comunidade de pescadores, havia sido subitamente atacado por um mal. Um dia ele estava bem e forte, no outro, as mãos tremiam violentamente, ele estava fraco, seu corpo todo era sacudido por convulsões quando ele tentava se manter em pé.

Foi Zebedeu, o pai de Tiago e João, quem primeiro disse em voz alta o que todos os outros deviam estar pensando.

— Jesus vai curá-lo.

Os discípulos pareciam hesitantes, pois sabiam que Jesus reagiria furioso à idéia de que ele podia ser chamado para curar qualquer um em qualquer tempo.

— Não sou um homem de reparos — ele diria.

Mas logo uma multidão se reuniu diante da casa de Simão Pedro. O povo carregava o homem enfermo.

Ouvi diferentes relatos sobre como Jesus se comportou. Um dizia que ele havia "feito o que tinha de fazer". Outro insistia que ele tentara escapar, mas que fora impossível porque a rua e o pátio da casa estavam tomados por pessoas que gritavam seu nome, exigindo que "saísse e fizesse suas coisas". Jesus estava no cômodo que sempre ocupava, no piso elevado sob o teto, e recusava-se a sair dali. Havia uma escada externa ligando o pátio ao telhado, e algumas pessoas se empoleiraram nos degraus de pedra. Em pouco tempo eles removeram as telhas e colocaram o doente no quarto de Jesus, e alguns indivíduos também entraram. Outros invadiram a casa, arrombando a porta da frente.

O homem, apoiado por seus amigos, foi empurrado na direção de Jesus. Ele não conseguia falar, apenas tremia e balbuciava coisas desconexas. O homem tentou unir as mãos em uma súplica, mas elas se mantinham afastadas, acenando e tremendo como as mãos de alguém que não sabe nadar e que está afundando no mar.

Jesus olhou para ele sem sua habitual doçura e disse:

— Seus pecados estão perdoados.

Havia na multidão um rabino que recentemente se queixara de Jesus, ou de todos nós, afirmando que negligenciávamos o Sabbath, éramos descuidados com nossas observações e cometíamos muitos tipos de sacrilégio. Ele estava pendurado na brecha aberta no telhado, sem coragem para se soltar e cair no quarto, mas curioso para acompanhar o drama.

— O que quer dizer com isso? — perguntou esse rabino. — Só o Senhor pode perdoar os pecados. Está se colocando em Seu lugar? Isso é sacrilégio.

Jesus olhou para ele, depois, para o pescador, que continuava tremendo. Jesus o segurou pelos pulsos com muita força e falou com ele, olhando-o nos olhos e empregando um tom baixo que ninguém pôde ouvir realmente.

O que aconteceu depois disso depende de quem conta a história. Uns dizem que a cura foi instantânea; outros, que só ocorreu no dia seguinte. Mas ninguém tinha dúvidas de que a enfermidade desaparecera, que Jesus era responsável por isso, e que havia ocorrido um milagre. O homem voltou a trabalhar em seus barcos, jogando a rede como fazia antes de adoecer, e a reputação de Jesus na Galiléia, se é que ainda havia alguma dúvida, foi assegurada. As pessoas agora o colocavam acima de João Batista. João, afinal, mesmo com todo o poder de suas preces e a força de seus batismos, não era capaz de fazer milagres.

Jesus nada me disse sobre isso quando voltei, embora soubesse, tenho certeza disso, que eu já havia escutado a história. Ele também não falou sobre minha deserção temporária. Não fui censurado, mas também não me senti perdoado. Havia certa frieza entre nós. Ele se aproximara mais dos pescadores, ou queria despertar em mim essa sensação. Aqueles homens eram mais simples e, como Jesus certamente percebera, mais leais, menos questionadores, mais confiáveis. Eles, é claro, nunca confiaram em mim, julgando-me um sujeito rico e mimado, um esnobe, cético, excessivamente educado, desajeitado para jogar a rede e imprestável para remendá-las. Quando me falaram sobre a cura do pescador enfermo, senti que me punham no devido lugar.

Pouco tempo depois disso, a família de Jesus apareceu no lago querendo falar com ele. A história sobre o milagre lhes chegara aos ouvidos, e suponho que tenham começado a pensar que valia a pena recuperá-lo. A família chegou como uma delegação, chefiada por Maria, mas com José também integrando o grupo, aparentemente embaraçado e relutante, e vinham também nessa comitiva alguns irmãos e irmãs.

Jesus passara a pregar sempre na segunda noite, depois de um dos barcos de pesca de Zebedeu ancorar perto da margem. As pessoas se reuniam ali para ouvi-lo. A multidão era impressionante, e Jesus começava a se preparar para pregar, orando profundamente (como sempre fazia antes de um sermão), quando Tiago me chamou e apontou a família que acabara de chegar.

— Você os conhece, Judas. É melhor cuidar deles.

Maria cumprimentou-me com seu habitual jeito efusivo, ligeiramente distante, quase como uma mulher de mente perturbada.

— Judas, querido, como parece saudável! Essa vida deve estar lhe fazendo muito bem. Creio que deve ser um beduíno, não? Está queimado pelo sol como um deles, pelo céu! Mas também está muito magro, não é? Tem comido o suficiente? Ouvi dizer que se tornaram todos mendigos. Espero que não seja verdade. Mas por que esse meu menino mau o está mantendo longe de sua mãe?

Forcei um sorriso e disse que também estava muito feliz por vê-la, por ver todos eles.

— Bem, é claro que estamos aqui para ver Jesus — ela respondeu. — Pode ir informá-lo, por favor?

— Agora?

— Sim, por favor, querido, se não se incomoda...

Expliquei que ele estava prestes a começar o sermão.

— Bem, tenho certeza de que ele pode me dar um momento, Judas. Afinal, sou a mãe dele.

Argumentei que ela teria de esperar até o fim da pregação, mas fui levar seu recado assim mesmo.

Aproximei-me com grande dificuldade do local onde Jesus já começava a se voltar para os barcos. As pessoas se empurravam para garantir um lugar na frente e não me deixavam passar.

Segurei seu braço e informei que a mãe dele estava ali.

— De fato, toda a sua família está aqui. Maria quer lhe falar.

Seu rosto corou de raiva.

— Minha família?

Ele me deu as costas, mas eu mantive a mão em seu braço.

— O que devo dizer a ela?

— Diga que essas pessoas são a minha família. — Ele apontou para a multidão. — Diga para ir embora.

— Não posso transmitir esse recado.

Ele olhou para mim com uma expressão que parecia ter sido entalhada em pedra.

— Diga isso a ela.

Comecei a protestar. Por que tinha de ser eu o mensageiro? Mas ele se soltara de minha mão e caminhava para o ponto no qual Tiago mantinha um barco à espera.

Eu estava furioso, encurralado entre aquela mulher estranha e seu filho poderoso. Devia me incomodar se a verdade ferira seus sentimentos? Mais uma vez, abri caminho por entre a multidão.

— Ele não vai falar com você — disse a Maria. — Disse que agora essas pessoas são a família dele.

O rosto de Maria endureceu. Era a mesma expressão com que Jesus olhara para mim pouco antes — o rosto de pedra. José estava visivelmente perturbado. As irmãs lacrimosas começaram a choramingar. Os irmãos cochichavam coisas como "eu avisei".

Os olhos de Maria brilharam.

— Ele crava uma faca em meu coração, aquele menino. É claro que minha dor não o preocupa, nunca preocupou. Ele sempre foi indiferente a meu sofrimento. Vamos — disse aos que a acompanhavam —, não vou ficar para ouvir filho tão ingrato.

— Agora que estamos aqui... — José começou.

— Nunca! — Maria o interrompeu. — Não darei a ele essa satisfação.

Jesus já estava falando, começando pela habitual prece, e deve ter visto e ouvido sua mãe partindo, causando tanto barulho e comoção quanto podia. A movimentação afetou seu discurso. No início, ele parecia incapaz de encontrar coerência, direção clara. Depois, gradualmente, quando Maria desapareceu e a multidão se acalmou, aconteceu. Era algo novo, algo que eu nunca ouvira antes de Jesus. Ele fervia de raiva e parecia ameaçador. Não estava ali para plantar a paz, mas brandia uma espada. Viera ao mundo para lançar irmão contra irmão, filho contra pai, dividir famílias e povos em nome do Senhor. Só assim o propósito do Senhor seria alcançado. Era importante ser decidido, não ser fraco.

A mensagem era poderosa e, à sua maneira descomprometida, excitante, mas eu estava perplexo e desconcertado. Onde estava o Jesus que havia dito que os pacificadores seriam abençoados e veriam Deus?

Quando ele terminou e a multidão se dispersou, nós nos reunimos, como fazíamos quase todas as noites, em torno de uma fogueira à margem do lago. Reinou entre nós um silêncio estranho, até Simão Pedro dizer que havia sido um sermão poderoso. Outros concordaram com ele, murmurando palavras breves.

— Maravilhoso.

— Impressionante.

Esse era o apoio que Jesus buscava e de que precisava. Senti desprezo por eles. Não podia ser realmente essa a opinião do grupo.

Perguntei:

— É suficiente sentir o poder? É isso que queremos? Pensei que devêssemos compreender a mensagem.

Jesus virou-se para mim lentamente. Senti sua raiva mais uma vez.

— Há algo que você não entendeu, Judas?

— Você sempre pregou o perdão, a harmonia e a paz; agora, de repente, nos diz que veio para criar a dissensão e a guerra.

Os olhos dele brilharam.

— Por que foi para Nazaré?

Não era uma resposta ao que eu falara, e fiquei tão surpreso que não soube o que dizer.

— E, se minha mãe voltar aqui — agora ele se dirigia a todos nós —, mantenham-na longe de mim.

Jesus nos deixou ali sentados e caminhou pela margem para a casa de Simão Pedro.

— Você o aborreceu — Tiago comentou.

Todos olharam para mim com ar de reprovação.

Por que eu nunca
estava presente quando os membros
enfermos eram tocados

libertos do tremor, quando
os olhos do morto
foram abertos

e um sorriso
correspondeu a outro? Em meu sonho
o fogo ainda arde

à margem do lago, sua
mão em meu ombro
é tolerante e perdoa.

124

"O cético é
cego", você me diz
e eu respondo, "Sim,

cego a tudo que nunca
aconteceu". Você se
afasta de mim

e eu acordo
lembrando meu papel:
"O Traidor".

CAPÍTULO 12

A raiva se abateu, fui perdoado, e o Jesus de temperamento ameno, o divulgador da paz e da harmonia, o defensor dos pobres, dos oprimidos e desafortunados, retornou. Eu havia conhecido outro Jesus, mas algum tempo transcorreria antes que eu voltasse a vê-lo.

Havia naquele tempo duas influências sobre ele, ambas externas aos doze discípulos, ambas femininas e chamadas Maria. Uma era Maria Madalena, porque sua família era da Magdala, no litoral da Galiléia. A outra era a Maria que vivia em Betânia com seus irmãos Marta e Lázaro. Elas eram tão diferentes uma da outra quanto de sua primeira Maria, a mãe cuja presença ele não tolerava.

Jesus se havia aproximado de Maria Madalena antes, salvando sua vida, provavelmente, enquanto eu ainda era um homem casado esperando pelo nascimento de meu filho. Ele tinha o hábito de conversar com estranhos em praças públicas, em fontes e nascentes, às vezes até com mulheres, se elas se dispunham a ouvi-lo, uma prática considerada escandalosa por alguns de seus seguidores mais conservadores. Ele conhecera Maria Madalena desse jeito e a julgara franca, aberta à sua mensagem. Mais tarde, em circunstâncias completamente diferentes, ele voltaria a encontrá-la.

Dessa vez ela era acusada de ter traído o marido, e Jesus chegara bem no meio da cena que se desenrolava em uma pequena praça na frente da sinagoga onde ele havia pregado na noite anterior (sua chegada propriamente dita, um verdadeiro milagre, como Maria Madalena relatara mais tarde), defendendo o perdão dos pecados.

Maria estava em pé, de cabeça baixa, com seus acusadores, marido e cunhado, um de cada lado, segurando-a pelos braços. Enquanto os rabinos que julgavam o caso discutiam qual deveria ser a punição, o mais velho dos três homens notou o "futuro profeta" da noite anterior, aquele que havia declarado que Deus tinha mais motivos para dar Seu amor a um pecador do que a um indivíduo virtuoso, porque o virtuoso já estava salvo.

É possível que eles estivessem enfrentando dificuldades para chegar a uma decisão. Havia testemunhas do crime, mas eles não tinham certeza sobre a honestidade desses depoentes, sem saber se poderiam ter sido subornados pelo marido que desejava se livrar de uma esposa inconveniente. De qualquer forma, o rabino mais velho teve uma idéia divertida. Ele gostava de oferecer armadilhas aos pregadores itinerantes. Fazia com que estes entrassem em contradição, ou contrariassem as palavras do profeta Moisés.

— Jesus de Nazaré — ele chamou. — Há testemunhas do pecado dessa mulher. A lei de Moisés decreta a punição: ela deverá ser apedrejada até a morte. A lei deve ser aplicada?

Jesus permanecia em pé, à sombra de algumas árvores, em um dos cantos da praça. Em vez de responder, ele se abaixou e usou o dedo para escrever alguma coisa na areia do solo. Os três rabinos se aproximaram, tentando ler a escrita, mas as palavras pareciam ser de um idioma estrangeiro e desconhecido por eles.

Houve um momento de hesitação e confusão antes de o rabino que comandava os outros colocar novamente a questão.

— Bem, e então, tem uma resposta, profeta de Nazaré? A lei de Moisés deve ser aplicada?

Jesus encarou-o e disse:

— Você é a autoridade judicial aqui?

O rabino disse que sim.

Jesus então indagou:

— E qual é a parte do Senhor nesse processo?

O rabino assumiu um ar impaciente, como se a pergunta não fosse importante ou pertinente, como se a resposta fosse óbvia.

— Devemos interpretar a vontade do Senhor.

Mais uma vez, Jesus abaixou-se e escreveu com o dedo na areia, e mais uma vez, mesmo sabendo que a mensagem seria incompreensível, os rabinos não resistiram à curiosidade e tentaram lê-la.

Ainda abaixado, Jesus disse a eles, como se interpretasse o misterioso escrito:

— Vocês devem decidir a sentença. Mas, se essa mulher for apedrejada até a morte, o Senhor também vai desejar que a primeira pedra seja atirada por alguém que nunca pecou. — Ele se levantou, olhando para o pequeno grupo ali reunido. Falando agora como se houvesse sido autorizado pelos rabinos, ele pediu que esse indivíduo, "um homem sem pecados", se apresentasse.

Jesus possuía um olhar penetrante e um ar de autoridade. Às vezes, podia-se acreditar que Deus olhava para nós por intermédio daqueles olhos.

— Um homem sem pecados — ele repetiu com aquela voz clara, que ecoava nas pedras. Todos desviaram o olhar, erguendo-o ao céu ou cravando-o no chão. Depois de um momento, todos começaram, um a um, a se afastar dali com ar resignado, como se a questão não fosse mais do interesse deles, como se não fosse da conta de ninguém ali, ou como se tivessem coisas mais importantes em que pensar. Logo restavam apenas os rabinos (agora discutindo entre eles sobre o ponto da lei que Jesus abordara) e os dois acusadores, que pareciam menos confiantes e haviam soltado os braços de Maria Madalena.

— Deixem-na vir comigo — Jesus sugeriu. — Estarão livres dela, e ela estará salva.

Ele a levou dali, deixando em seu rastro silêncio e incerteza. Os rabinos mais jovens estavam furiosos com seu superior por ele ter confundido o processo, pedindo a opinião do profeta de Nazaré. O mais velho também lamentava essa decisão, mas livrava-se de acusações mais diretas assegurando aos reclamantes que a solução havia sido excelente.

Jesus e Maria Madalena viajaram juntos e continuaram a jornada durante a noite, para o caso de os rabinos e os acusadores da mulher mudarem de idéia. No dia seguinte, cansados, famintos e sujos, chegaram a um vilarejo onde Jesus sabia ter seguidores. Ele encontrou um deles, alguém que mantinha uma hospedaria, e pediu abrigo para a mulher. O homem acatou seu pedido e serviu uma refeição aos dois viajantes.

Quando terminaram de comer, Jesus despediu-se.

— Você está livre — disse a Maria Madalena.

— Sou uma mulher divorciada. Como vou sobreviver?

Jesus garantiu a ela que Deus proveria e citou o exemplo dos corvos. Depois, ele a beijou e partiu.

Dois anos mais tarde (e nesse tempo eu já fazia parte do grupo), Jesus voltou àquela mesma região com cinco de seus discípulos. Fomos convidados a cear com um homem chamado Simão, alguém que acreditava ter tido uma doença de pele curada por uma imposição de mãos de Jesus e pela bênção dada por ele em sua última visita. Enquanto os criados de Simão preparavam a refeição, a porta se abriu, e uma mulher entrou no aposento carregando uma pequena caixa de alabastro. Jesus reconheceu Maria Madalena. Simão levantou-se e disse:

— Peço desculpas. Essa não é uma mulher virtuosa, mas ela foi muito insistente. Ela deseja agradecer por alguma coisa... — Ele se virou para Maria. — Por favor, diga o que tem a dizer e saia.

Maria Madalena ajoelhou-se aos pés de Jesus e pediu uma vasilha com água. O pedido foi atendido, e ela lavou-lhe os pés, secando-os com seus longos cabelos e beijando-os. Em seguida, ela abriu a caixa branca elegantemente entalhada com desenhos de folhas da palmeira. O cheiro de um óleo aromático invadiu o aposento. Os pés de Jesus estavam rachados e doloridos de tanto andar. Ela os massageou com esse óleo.

Concluída essa tarefa, ela se levantou, tomou as mãos dele e beijou-as.

— Tenho uma dívida de gratidão com você — disse. — Salvou-me. Sou grata por ter-me dado a vida.

A expressão de Jesus era incerta.

— Eu salvei você? Esse homem afirma que é uma pecadora.

— Você me disse que Deus provê o sustento dos corvos. Não sou um corvo, por isso tenho de prover meu próprio sustento. Vendo meu corpo para viver.

Jesus hesitou por um momento. Pude ver que ele gostava dela, e provavelmente lembrava aquele primeiro encontro.

— Venha conosco — ele a convidou —, e eu mostrarei como os corvos mantêm a casa sem pecado.

Simão Pedro, Tiago e André, até mesmo o jovem Bartolomeu, estavam chocados. Como Simão, nosso anfitrião. Eles não poupavam os sentimentos da mulher, apontando que a caixa nas mãos dela e o óleo contido no recipiente deviam ter custado muito caro. De onde viera o dinheiro, senão do pecado? Se esse era um ato de arrependimento, não teria sido melhor gastá-lo com os pobres? E Jesus queria mesmo uma mulher de virtude duvidosa beijando-lhe os pés e as mãos, seguindo-os em sua jornada?

Jesus meneou a cabeça.

— Eu recebo essa mulher como os recebi, meus amigos. É a mesma acolhida. — Ele ergueu o copo e bebeu dele. — Quanto aos pobres, vocês os terão até o fim dos tempos. Eu... Bem, amanhã posso não estar mais aqui. — E riu.

Maria Madalena tornou-se uma de suas seguidoras mais convictas. Não havia dúvida de que Jesus a amava, confiava nela e perdoava seus deslizes, apreciando a personalidade robusta e franca. Tenho certeza de que, se fosse um homem, ela teria sido feita discípulo. Quando estava de mau humor e nos criticava duramente por nossas falhas, ele sempre acusava um, ou os doze, de falta de fé. Dizia que éramos fracos, indignos de confiança, hesitantes, indecisos. Nesses momentos ele nos comparava a Maria, ressaltando como ela nunca fraquejava, como, sem dúvida, nunca o negaria ou trairia.

Certa vez Simão Pedro queixou-se por ele amá-la mais do que amava a todos nós. E às vezes circulavam rumores, especialmente entre as pessoas da periferia de nosso movimento, sobre ela ser sua amante secreta. Não acredito nisso. Jesus era capaz de contradizer-se (e era um especialista nisso, para ser bem franco), mas nunca foi hipócrita. Se quisesse Maria Madalena em sua cama, ele a teria exatamente ali, mas ele não era como os homens comuns. Às vezes eu passava parte da noite acordado, sentindo saudades de Judith, chorando minha perda, consciente do corpo de Maria Madalena tão próximo de mim, da possibilidade de encontrar conforto nele, mas sabendo que, mesmo que me fizesse esse favor, ela não deseja meu corpo, porque queria apenas o corpo de Jesus, que não a desejava.

Jesus nos amava, seus seguidores, alguns mais do que outros, mas amava todos nós, acredito, apenas como representantes da humanidade. Da mesma forma, nós amávamos a humanidade, mas só como uma representação do Criador. Era um amor tão indefinido, tão vasto e generalizado, que hoje olho para trás e não consigo entendê-lo. Talvez não pudesse entendê-lo já naquele tempo.

A outra Maria, aquela de Betânia, era irmã de Marta e Lázaro. Os três amavam Jesus e eram amados por ele, mas eram diferentes de nós, que o seguíamos em suas viagens. Puritanos e recatados ao extremo, não creio que tivessem conseguido suportar as incertezas, as restrições de posses, os "improvisos", as refeições erráticas, a casualidade da observância dos costumes e ritos, a condição de pedintes que assumíamos por viver na estrada. Devo mencionar ainda os rigores de lidarmos com multidões de adoradores, que se tornaram, com o passar do tempo, tão terríveis quanto os rigores da rejeição que sofremos em nossos primeiros dias de jornada. Havia as hordas de enfermos, leprosos, aleijados, insanos que se atiravam sobre nós, ou eram empurrados pelas famílias buscando cura, respirando em nosso rosto, cheirando mal. Lázaro e suas irmãs teriam ficado perturbados, também, com as discussões, a competição pela atenção do Mestre, o que já se tornava parte de nossa vida diária. Como muitos outros que apoiavam Jesus e gozavam de posição privilegiada em relação a nós (e José de Arimatéia integrava esse grupo), eles não serviam para a vida na estrada.

Dos três irmãos, Maria era aquela que Jesus amava especificamente. Havia algo nesse nome... Talvez por não ter amado sua mãe, Maria, agora ele tinha de amar todas as outras mulheres que cruzavam seu caminho e ostentavam esse mesmo nome? Marta também o amava, tanto quanto a irmã, e até reclamava quando Jesus os visitava, pois era ela quem tinha de preparar e servir a comida, enquanto Maria se sentava aos pés de Jesus para conversar. Ele respondia que Maria escolhera esse papel para si mesma e devia poder desempenhá-lo, o que não deixava de ser uma maneira menos direta, mas igualmente brutal, de dizer a Marta que continuasse sendo a criada e parasse de reclamar.

Lázaro era o mais sombrio dos três irmãos. Quando Jesus os conhecera, ele vivia em uma infelicidade profunda, não por algum motivo específico, mas por uma tristeza pessoal e interna, uma espécie de sombra escura (como ele mesmo descrevera) que envolvia seu coração e o escurecia semana a semana, mantendo-o na cama por dias e dias, incapaz de trabalhar, comer, banhar-se ou até mesmo orar. As irmãs ouviram notícias sobre o poder de cura do novo profeta de Nazaré e foram procurá-lo, pedindo ajuda ao irmão. Jesus simpatizara com as duas irmãs solteiras e desprovidas de maiores encantos e aceitara acompanhá-las até sua casa, onde o irmão estava na cama, próximo da morte.

Jesus passara alguns dias ali, conversando com Lázaro sobre a história de Israel e sobre o Deus de Israel, sobre as escrituras e os relatos dos antigos profetas, sobre as profecias, citando longas passagens, lembrando que futuro era previsto para a raça dos judeus, tentando interpretar aquelas profecias em termos modernos.

Lázaro foi inspirado. Pela primeira vez em muitos meses, começou a banhar-se e comer as refeições preparadas para ele. Levantou-se, trabalhou no pequeno canteiro da família, consertou coisas que se haviam quebrado, sorriu e até riu, uma risada que, diziam as irmãs, lembrava o som de dobradiças enferrujadas pela falta de uso.

Lázaro estivera tão abatido, desprovido de ânimo e próximo da morte, que as irmãs se referiam àquela primeira visita de Jesus como o momento da ressurreição do irmão. Diziam que Jesus havia levantado Lázaro dos mortos. A partir daquele momento, a vida dele passara a ter foco, propósito, direção. Ele estava completamente comprometido; e foi a primeira pessoa que ouvi dizer abertamente, sem nenhum constrangimento, que Jesus era o Messias. Na época, tomei essa declaração como um sintoma de seu retorno ao mundo dos homens saudáveis, não como uma idéia que alguém aceitaria como séria ou válida. (Hoje sei que sou um aprendiz muito lento.) Mais tarde passei a questionar em que medida Jesus havia sido responsável por plantar a semente dessa mesma idéia naquelas longas sessões que eles tinham no quarto, quando ele falava sobre as escrituras e as profecias com tanta intensidade.

Passávamos, então, mais tempo na estrada, sempre em movimento, nunca todos juntos, mas sempre em grupos que variavam de seis a dez indivíduos, dependendo de quem adoecesse ou fosse chamado de volta para casa, por causa da família ou do trabalho. Às vezes apoiávamos Jesus enquanto ele pregava; às vezes o precedíamos para anunciar sua chegada; às vezes (quando ele assim solicitava) nós mesmos transmitíamos a mensagem. Meus talentos de pregador são tão amplos quanto minhas convicções, que sempre foram hesitantes, mas eu não era o único entre os doze com essas deficiências. Jesus estava sempre nos instigando a ter fé. A fé move montanhas. Se acreditássemos, poderíamos tudo, poderíamos viver sem alimento, caminhar sobre a água. Isso era algo que ele nos dizia sempre, e eu não era o único a ter um pesadelo no qual Jesus, andando no lago, me chamava para ir até ele e deixar a segurança do barco de Zebedeu. Eu atendia ao chamado, mas, depois de alguns passos hesitantes, começava a afundar, e acordava me debatendo em meu cobertor, ofegante, chamando-o e pedindo socorro. Simão Pedro tinha o mesmo sonho, e costumávamos brincar dizendo um ao outro que havíamos tido novamente "aquele pesadelo de andar sobre a água".

Fé era o que ele pedia de nós, e era exatamente aí que todos, em um momento ou em outro, falhávamos e o desapontávamos. Fazíamos o melhor possível, alguns mais que outros. Cético por temperamento, eu era nitidamente o primeiro entre os que falhavam.

Essa inconsistência da fé até mesmo em um grupo tão ligado a ele e ao estilo de vida por ele criado provavelmente explica sua revelação secreta (se é que se pode falar nisso) a Simão Pedro, Tiago e João, os três cuja fé em Jesus era mais forte, mais simples e menos instável. Viajávamos pelo vale do Jordão depois de termos visitado Lázaro e suas irmãs em Betânia. A intenção era ir a Jerusalém, uma perspectiva que nos entusiasmava, provincianos como éramos. De repente, quando já estávamos bem próximos de nosso objetivo, Jesus informou que os planos haviam sido cancelados. Era como se ele recebesse instruções superiores, ou como se sofresse uma súbita falta de confiança. Não iríamos para lá, ele informou, até que os treze pudessem seguir viagem juntos, e então seria para a festa da Páscoa.

Assim, voltamos à estrada para a Galiléia. Jesus estava sombrio e introspectivo, desapontado talvez, por não ter concluído o trajeto até a cidade sagrada. Ele recusara gentilmente a oferta generosa de comida feita por uma família que o exaltava pela cura de um filho doente, um bebê, e se mantinha quieto, recolhido.

A estrada nos levava à base de uma das montanhas daquela região, e já nos aproximávamos dela quando, repentinamente, ele emergiu desse transe e anunciou outra modificação nos planos. Podíamos acampar onde estávamos e passar a noite em uma das cavernas na encosta da montanha. Os três escolhidos deveriam acompanhá-lo encosta acima. Os quatro restantes ficariam e preparariam uma refeição com o que restava de alimentos nos cestos oferecidos por aquela família agradecida; se eles não voltassem ao anoitecer, deveríamos comer nossa parte, sem os esperar.

Comemos. Quando fomos nos deitar, eles ainda não haviam retornado. Na manhã seguinte, enquanto discutíamos se devíamos ficar ali sentados esperando ou montar uma equipe de busca e ir procurá-los, nós os vimos ao longe, descendo a encosta. Simão Pedro seguia na frente e acenava para nós. Atrás vinham Tiago e João, e Jesus era o último da fileira.

Demos a eles o que havia sobrado da refeição da noite anterior. Eles comeram com apetite. Nada foi dito sobre o local onde haviam estado e o que tinham feito. Os três que haviam acompanhado Jesus pareciam solenes e (eu pensei) antipáticos, como se fossem mais importantes do que nós. Foi um daqueles momentos nos quais Jesus criava a dissensão, favorecendo um ou mais seguidores e preterindo os demais.

Eu o chamei de lado e quis saber o que havia acontecido. Jesus meneou a cabeça.

— Você saberá quando chegar o momento de saber.

Perguntei por que não podia saber logo, imediatamente.

— Porque não está preparado.

— E os outros três estão?

— Sua fé não é segura, Judas.

— Quer dizer que não sou ingênuo.

— Quero dizer que não é inocente.

— Sente-se satisfeito por ter a credibilidade de três homens estúpidos?

Ele tocou meu braço.

— Seja paciente. O tempo vai chegar.

Pensei por um momento, depois disse em um impulso, não pela primeira nem pela última vez:

— Acho que já suportei o bastante disso tudo.

Meu tom era triste. Ele me olhou nos olhos e segurou-me os pulsos.

— Vai me deixar? — Seus olhos estavam marejados de lágrimas.

Não respondi, mas fiquei surpreso e vacilei em minha decisão. O que eu ia fazer se o deixasse? A casa de minha mãe estava tomada por recordações de minha amada Judith; meu pai, sempre tão frio, não perdia uma chance de demonstrar seu desprazer e desapontamento. Ali eu tinha companheiros e, tudo indicava, tinha também amor.

Jesus perguntou:

— Com quem vou conversar se você for embora?

— Com os três que levou para a montanha — respondi.

Mas era evidente que eu cedia.

Ele pôs um braço sobre meus ombros.

— Confie em mim — pediu. — No final, tudo vai fazer sentido.

Eu nada mais disse. Mas, inevitavelmente, os comentários e rumores sobre o que havia acontecido na montanha começaram de imediato, e as histórias foram se tornando cada vez mais surpreendentes, embora jamais tenha havido nada além do que um ou outro sussurro entre nós. Jesus levara os três seguidores ao alto da montanha e os deixara vigiando enquanto ele orava. Ele passara muito tempo ajoelhado, batido pelo vento que parecia soprar sempre no sentido vertical naquelas encostas íngremes. Até aí, todas as versões da história estavam de acordo. Outro ponto comum entre as versões era que os três seguidores se haviam abaixado e, depois, deitado ao abrigo de arbustos espinhosos, lutando contra a fome e a exaustão enquanto a escuridão ia envolvendo a paisagem. Todos adormeceram, mas acordaram mais tarde, certos de que algo muito importante ocorria, uma espécie de revelação, uma presença divina.

No relato mais particular, Simão Pedro supostamente vira as vestes sujas e rasgadas de Jesus transformadas em um manto imaculadamente alvo. Ajoelhado, orando, ele estivera coberto por vestes que lembravam neve brilhando na escuridão. Nesse momento duas silhuetas poderosas surgiram acima de sua cabeça. Simão Pedro os reconheceu: eram Moisés e Elias. Ele só não sabia de onde tirava esse conhecimento tão certo. Eles falavam com Jesus, que respondia.

Tiago nada vira, mas ouvira uma voz poderosa na escuridão. A voz dissera:

— Esse é meu Filho. Idolatrem-no.

João tivera um sono agitado do qual lembrava apenas um sentimento de magnitude e terror diferente de tudo que havia experimentado antes. Ao ouvir os relatos de Simão Pedro e Tiago, ele também se convencera de que Jesus os levara a uma presença divina.

Três dos nossos agora sabiam, ou acreditavam saber, que havíamos sido recrutados para servir o Messias.

> Em um conto árabe
> o herói chega armado
> com uma espada

136

para derrotar os pais
de rigidez inabalável e
e chega

montado em um cavalo
branco. Jesus chega
a pé armado apenas

com o argumento
e um dedo
para escrever na areia.

Estaria ele lembrando
nossa peça, e o
poder das palavras

que só Um
podia ler? Seria seu
texto secreto em grego

ou como Maria
acreditava, na
língua do Céu?

CAPÍTULO 13

Há dois dias recebemos notícias de Jerusalém. Três seguidores da doutrina de Jesus, dois homens e uma mulher, chegaram procurando Ptolomeu, e eu o grego transmitir a notícia a ele. Mas algo a mais ficou claro para mim. Às vezes tentava entender por que Ptolomeu me era tão familiar, em parte pela aparência, mas principalmente pela voz. Esses visitantes o trataram com tamanho respeito, que chamei um deles de lado, o mais velho dos dois homens, Ezra, e perguntei se meu hóspede era uma figura importante do movimento.

Soube que ele era "uma das mais importantes pessoas vivas".

Devo ter adotado uma expressão incrédula.

— Ptolomeu tem autoridade porque... — Ezra fitou-me com aquele ar (que tantas vezes eu vira!) de quem exige segredo, mas quer muito falar. — Não posso revelar.

— Porque ele é um dos que viram Jesus? — O pensamento havia passado por minha cabeça algumas vezes, sempre quando eu o ouvia dizer coisas que só quem estivera presente poderia saber.

Ezra abaixou a cabeça, em uma afirmação solene. Evidentemente, ele se sentia emocionado com a idéia de conhecer alguém que havia estado na presença divina.

— Mas há alguma outra coisa? — insisti.

Ele assentiu novamente, mas repetiu:

— Não tenho permissão para falar.

E nem precisava. Eu já havia entendido tudo.

— Ele era um dos doze — sussurrei, e o rosto do homem se contorceu em uma máscara tensa. Ele lutava contra as lágrimas que transbordavam de seus olhos. — Seu segredo está seguro. — Não vou dizer nada. Nem vou perguntar qual é o nome dele.

Mas eu sabia. Ptolomeu. Bartolomeu. Foi a cegueira, aliada à dilapidação causada por quarenta anos de vida, que havia protegido sua identidade. E, é claro, a mesma cegueira assegurava que ele não me reconhecera. Sentia-me protegido por essa contingência e ainda mais (considerando que os cegos desenvolvem um excelente sentido auditivo) por sua certeza de que Judas de Iscariotes estava morto, havia sido enforcado em uma figueira, ou empalado no meio do campo comprado com o dinheiro que me havia rendido a traição a Jesus.

— Ele não foi sempre cego — afirmei.

— Ficou assim depois de ter visto a crucificação. Deus desejou que ele nada mais visse.

Tentei entender essa afirmação, mas não consegui. Bartolomeu havia sido um dos que fugiram depois da prisão de Jesus. Não podia ter visto nada.

Quis saber por que o sigilo era tão importante.

— Temos inimigos. Talvez não haja mais a mesma necessidade do passado, mas protegemos Ptolomeu... e os outros dois discípulos que ainda vivem.

— São só mais dois? — Queria saber quem, mas podia perceber que o homem começava a se sentir perturbado, como se temesse ter falado demais.

— Sim, apenas dois — ele confirmou antes de se virar.

Mas a notícia de Jerusalém tratava dos romanos. Seu laço agora se tornava mais estreito em torno da cidade. Embora ainda houvesse uma ou outra fuga e algumas poucas permissões para a travessia dos limites romanos, a imagem dentro das muralhas era de revolução e de um regime de terror. O povo, os plebeus, mantinha o controle, mas mesmo entre eles havia uma cisão, grupos que competiam, cada um liderado por um chefe rebelde. Não existiam mais romanos vivos dentro da cidade, mas também não havia mais judeus ricos. Assim como boa parte da classe média e dos sacerdotes do Templo, eles haviam fugido ou haviam sido julgados por tribunais populares e executados. Alguns conseguiram sobreviver convencendo essas cortes de que eram, e sempre haviam sido, rigorosamente contrários a Roma, aos Herodes e aos sacerdotes. Alguns obtiveram permissão para se tornarem oficiais da milícia que a cidade formou contra os romanos e até lideraram heróicos ataques fora das muralhas. Esses, no entanto, sempre acabaram derrotados.

A comida chegava ao fim. Todos os animais, incluindo camelos, gatos e jumentos, aves, ratos e serpentes, tinham sido mortos e cozidos para alimentar a população. O estoque de grãos que poderia ter sustentado o estado de sítio por muitos anos fora queimado na guerra entre os diferentes grupos insurgentes. A população morria de fome.

Havia histórias de homens marchando para a batalha sobre os corpos de camaradas mortos em batalhas anteriores, e anteriores a essas, avançando contra os romanos que se agrupavam atrás de escudos em estradas tornadas escorregadias pelo sangue vertido de muitos corpos. Falava-se de crucificações diárias dos homens da milícia, soldados que eram capturados e civis em fuga. O número chegava a quinhentos por dia. Com o suprimento de madeira para a confecção de cruzes se esgotando, as vítimas as vezes eram pregadas em portas ou paredes de madeira, colocadas em ângulos absurdos, de lado ou de cabeça para baixo, com os membros entrelaçados e se sobrepondo, de qualquer maneira, que pudessem ser encaixadas no pouco espaço disponível. Assim, uma superfície vertical era transformada em uma massa de homens e mulheres presos por pregos, todos chorando, gemendo, gritando e se contorcendo.

Por vezes, com o prosseguimento das batalhas, os soldados romanos se cansavam de matar, queixando-se de fadiga muscular, costas doloridas, braços exaustos e mãos calejadas, e pediam para parar e descansar. Mas, no interior da cidade, outra tropa de malfadados defensores era formada, e outra, outra e outra, batalhões de homens aterrorizados com as cortes populares e dispostos a tudo pela esperança de escapar das muralhas. Eles fingiam lutar e esperavam por uma chance de fugir para campo aberto. Poucos conseguiam.

Ezra nos conta a história de um grupo de mercadores judeus que subornaram soldados romanos para escapar dos limites do sítio, tendo antes engolido cada um moedas de ouro suficientes para recomeçar a vida e os negócios em algum lugar distante. Depois de passarem pelos romanos, porém, eles foram interceptados por uma tribo de beduínos que, suspeitando da existência de riquezas escondidas em algum lugar, torturam-nos, tentando obter informações. Quando um deles confessou onde estava o ouro, todos tiveram estômagos e intestinos abertos, foram roubados e abandonados à morte ao sol escaldante do meio de tarde, enquanto hienas e abutres aproximavam-se para se banquetearem de suas entranhas antes mesmo de o último suspiro ter sido emitido.

Enquanto ouvia essas histórias sobre o caos que se espalhava pela Judéia e pela Galiléia, eu me descobri chorando pela cidade sagrada, por minha região e meu povo. Fico me perguntando como amigos e familiares têm sobrevivido, consolando-me na certeza de que a maioria daqueles que me foram mais próximos já estão mortos, mas, ainda assim, sentindo-me perturbado por saber que toda a moldura da sociedade de minha infância está sendo destruída e varrida do mapa. Agradeço a Deus, ou à sorte, ou ao destino, a qualquer um que me escute, pelas bênçãos de uma nova identidade, um novo lar e uma nova cultura, uma esposa, filhos e netos. Enfim, pela bênção da paz.

Ptolomeu (agora o observo com maior atenção, pois sei que é Bartolomeu) adota a expressão severa de um juiz enquanto consideramos as notícias.

— Essa destruição foi prevista — ele diz. — O Senhor enviou Seu filho para reinar sobre Israel, e nosso povo o entregou aos romanos para ser crucificado. Como esperar, depois de tamanha traição, que o Céu continue nos protegendo, protegendo nosso Templo?

Embora as palavras soassem frias, até um pouco satisfeitas, e apesar de eu ter certeza de sua sinceridade e sua seriedade, creio que também havia nelas um sentimento de choque e certo tom de tristeza.

Naquela tarde todos nós, incluindo Teseu e Autocylus, fomos à pequena praça onde agora Ptolomeu mantinha uma audiência constante, algumas pessoas prontas para se declararem "cristãs" e até se submeterem a um batismo informal na fonte que ele costumava usar como púlpito. Ezra pediu permissão para falar, e Ptolomeu concedeu, talvez relutante, mas com elegância.

Ezra contou à congregação uma história sobre Jesus ter realizado ainda outro milagre, provando mais uma vez que era o Filho de Deus, enviado com poderes especiais para redimir a humanidade. Uma grande multidão (pelo menos cinco mil, de acordo com as palavras de Ezra) havia seguido Jesus a um local remoto não muito longe de um lago, onde ele pregara, assegurando que, mesmo sendo pobres, todos eles seriam ricos no Céu; e que, por outro lado, os ricos seriam em sua maioria barrados no Paraíso. Um homem rico, se levasse vida excepcionalmente virtuosa e ofertasse com generosidade seus bens aos que deles necessitavam, poderia entrar, mas só depois de o último pobre ter sido acolhido nas mansões celestiais.

Esses ensinamentos, Ezra prosseguiu, foram recebidos com aplausos pela multidão da Galiléia, e depois Jesus conduziu todas aquelas pessoas em prece.

Mas os discípulos disseram que não havia mais comida e sugeriam que as pessoas deviam ser afastadas dali rapidamente, orientadas a voltar para suas casas, para o jantar.

Jesus perguntou que alimento havia e recebeu cinco pães e dois peixes. Ele ordenou que a multidão se dividisse em grupos de vinte ou trinta e que cada grupo enviasse dois ou três representantes à mesa à qual estavam os discípulos, local em que os parcos suprimentos foram depositados.

Jesus então partiu e abençoou o pão, e logo os cinco se tornaram cinqüenta, que se tornaram quinhentos... e assim por diante. Da mesma forma ocorreu com os dois peixes, que se tornaram vinte, depois, duzentos... A mesa ficou repleta de comida, que era substituída assim que os representantes de um grupo, instruídos a formar filas, levavam-na para seus companheiros. Em uma hora, os cinco mil comiam felizes ao sol do entardecer.

Ezra estremeceu ao relatar essa história, como se mal pudesse acreditar nele mesmo. Os detalhes escapavam de sua mente confusa. Senti o tipo de constrangimento que um orador experimenta quando perde o discurso em público, e podia bem imaginar que pensamentos passavam por sua cabeça. O peixe havia sido servido cru? Não havia nenhuma bebida? Ao fim da refeição, dizia-se que tinham restado doze cestos de sobras, mas de onde vieram esses cestos? Quem os levara até lá e com que propósito? Pensei que ele mesmo havia adicionado a mesa à história, como uma medida prática, mas de onde ela viera, se a multidão estava reunida em um local remoto? De qualquer maneira, não teria sido suficiente. A comida, multiplicada exageradamente com o auxílio de sua imaginação, teria transbordado e caído, perdendo-se na terra pisoteada por cinco mil pessoas.

Os ouvintes se mostravam inquietos. Alguns franziam a testa, tentando acreditar no relato, ou entendê-lo, outros se viravam de costas, como se pretendessem partir. Ouvi um homem dizer:

— Gosto mais daquele Ptolomeu, o velho cego. Esse outro não é tão bom.

Ptolomeu parecia ansioso.

— Essas coisas são difíceis de entender — Ezra justificou-se, estendendo o braço para cima e segurando-se em um galho de árvore para manter-se sobre o parapeito da fonte. — Mas foi esse o teste que o Senhor Deus nos enviou por intermédio de Seu abençoado Filho, nosso salvador Jesus. Creiam, amigos, e serão salvos. E, agora, vamos orar...

Naquela noite eu saí para caminhar um pouco com Ptolomeu. Segurando o braço do homem cego, liberei Reuben de seus afazeres, sugerindo que ele fosse se divertir um pouco em uma taverna próxima. Caminhamos lado a lado, ouvindo o som do mar calmo, respirando o ar salgado e úmido. Eu descrevia o cenário que ele não podia ver; a água escura, as luzes que brilhavam no distante porto de Sidom, as redes penduradas em seus ganchos para secar, os barcos de pesca esperando ancorados logo depois da arrebentação, prontos para o trabalho duro dos pescadores antes mesmo do amanhecer; de vez em quando, um vigia noturno emitia sons nostálgicos, como que fazendo sua presença conhecida e evitando confrontos diretos com malfeitores. Paramos para ouvir um grupo que tocava no pátio de uma taverna, cantores e instrumentistas entoando belas baladas gregas.

Chegamos a uma parte da praia em que não havia casas nem barcos de pesca. Minha mente voltou às notícias de Jerusalém. Senti uma onda de raiva contra toda aquela conversa de Jesus sobre o que poderia estar esperando por nós além do túmulo, promessas vazias e ameaças que distraíam a atenção dos horrores impetrados pelo homem contra o homem no mundo real.

Perguntei:

— Alguma vez se perguntou por que o Deus de Israel favorece tanto os romanos?

Ele não respondeu de imediato, mas, depois de um momento, falou:

— Há muito tempo eu conheci alguém que costumava formular esse mesmo tipo de pergunta com esse mesmo tom de voz.

— Um cético equilibrado, sem dúvida — opinei, impostando a voz de forma a disfarçá-la.

Ptolomeu ficou em silêncio por mais alguns passos.

— Conheço você? — ele disparou.

— É claro que sim. Sou seu anfitrião, Idas.

— Sim, eu sei, mas no passado... Não?

— Não — menti. E perguntei se ele havia ficado impressionado com o sermão de Ezra.

— Ele ainda é inexperiente. Precisa aprender o que é essencial em uma história para não se deixar distrair pelos detalhes.

— Uma mesa em um local remoto... Isso exige muita credulidade. Acha que realmente existiu esse milagre?

Eu o testava. Sabia que nunca houvera uma multidão de cinco mil pessoas, nem uma multiplicação mágica de pão e peixe em um banquete para toda essa gente. Ptolomeu também devia saber.

— Houve um milagre — ele disse.

Senti-me satisfeito por tê-lo encurralado, mas logo o homem acrescentou:

— Foi o milagre da *divisão*.

— Estava lá?

— As pessoas foram instruídas a levar comida, mas muitas eram muito pobres, e o que havia ali era muito pouco. Insuficiente para alimentar uma multidão de três ou quatro... dúzias.

— Três ou quatro dúzias? Ezra falou em cinco mil!

Ele não estava preocupado. Ou fingia não estar.

— Toda história ganha um pouco mais de ênfase cada vez que é recontada. E os números não têm importância.

— A credibilidade tem.

— Um milagre é um milagre. Haverá sempre aqueles que têm dúvidas e os que não acreditam. Cinqüenta ou cinco mil... a questão não é o número.

— Questão? — Eu começava a ficar irritado. — Há uma *questão*?

— O que Jesus nos mostrou naquele dia foi que, se pessoas que têm mais do que precisam dividirem o excedente com quem tem pouco ou nada, haverá sempre o suficiente circulando.

— Isso é política. Não tem nada a ver com milagre.

— Meu amigo, quando você convence o povo a dividir suas posses, isso é mais do que política. É milagre.

> Histórias de alimento, de
> comer, de fome —
>
> rato assado, cobra
> seca atrás das muralhas
> de Jerusalém
>
> sitiada; e na
> margem de um lago cinco
> pães e dois peixes

multiplicados, uma
lição na
aritmética do

paladar. Dizem que os olhos
são janelas da
alma, mas o instinto

parece sua
porta. Como nos lavamos,
o que dizemos antes

de comer, diz respeito
ao Senhor, e foi
Jesus que ofereceu

sua bondade
como jantar, pão e
vinho, corpo e sangue.

CAPÍTULO 14

Depois da revelação no topo da montanha, voltamos por um tempo ao velho solo da Galiléia. Uma rota regular nos levou a contornar o lago, passando por Betsaida, Gergesa, Hippos, Betyerah, Ammathus, Tiberíades, Magdala, Genesaré e, novamente, Cafarnaum. Havia as cidades e os vilarejos, mas havia também locais menores, apenas conglomerados de casas e terrenos que nem sequer tinham nomes, e era nesses lugares que, às vezes, Jesus encontrava suas melhores audiências. Às vezes íamos para oeste, para Séforis e os vilarejos em torno dela (sem nunca passar por Nazaré, porém); e, uma vez, fomos até Tiro e Sidom, na Fenícia, quando vi pela primeira vez o mar e a cidade onde, pelos últimos quarenta anos, tenho vivido.

Cafarnaum continuava sendo nossa base. Jesus tinha seu quarto na casa de Simão Pedro, e nós, os outros, tínhamos casa e família ali, ou algum abrigo regular. Eu me hospedava sempre na casa de Zebedeu, o pescador pai de Tiago e João, que tinham suas próprias residências. Zebedeu era um homem endurecido e idoso que, de início, ficara furioso com a negligência (como ele mesmo dizia) dos dois filhos para com os negócios da família. Mas, desde a morte da esposa, ele encontrara conforto nos ensinamentos de Jesus.

— Não há como negar que ele tem jeito com as palavras — reconhecia Zebedeu. — É preciso muito empenho para trazer lágrimas a estes velhos olhos, mas aquele menino pode me fazer chorar em menos de cinco minutos.

Nesse tempo a pregação de Jesus retomara os temas relacionados à paz e à harmonia, com promessas aos pobres, aos oprimidos, aos enfermos e escravizados de que seus fardos seriam removidos de seus ombros no Céu. Mas ele também pedia atenção para as profecias das escrituras que falavam de uma nova revelação, a ser feita em breve, quando o poder divino reinaria na terra de Israel, quando a justiça prevaleceria tanto na terra como no Céu, algo que ele nos ensinou a pedir diariamente em nossas orações: "Venha a nós o Vosso reino, seja feita a Vossa vontade assim na terra como no Céu". Talvez, afinal, os pobres não tivessem de esperar até a morte antes de serem abençoados.

Os mais compenetrados indivíduos da região ouviam tentando encontrar significados ocultos em seus ensinamentos e acreditavam tê-los encontrado. Muitos ficavam satisfeitos. Viam Jesus como seu profeta, como (alguns ousavam dizer) o Messias que libertaria Israel. À medida que essa idéia se tornava mais corrente, alguns discípulos passavam a repeti-la e apoiá-la, citando em sugestões e insinuações a revelação feita a Simão Pedro, Tiago e João no alto da montanha como uma confirmação. Tal revelação devia ser um segredo, mas, como todos os segredos relacionados a Jesus, logo se tornou de conhecimento público.

De tempos em tempos, no meio das multidões que iam ouvi-lo, eu percebia homens que chegavam em duplas. Não eram "locais" e tinham um ar oficial, indivíduos que trocavam comentários sussurrados e pareciam em sinistro estado de alerta, apontando coisas com ar investigativo. Esses, eu tinha certeza, eram espiões de Herodes. Tentei prevenir Jesus; essa conversa toda sobre ele ser o libertador, sobre a queda dos poderes civis, poderia metê-lo em problemas sérios. Ele sorriu.

— Nunca fiz tais afirmações — disse. — Não posso impedir que outros digam essas coisas a meu respeito.

Decidi ser mais franco.

— Não notou que alguns entre os doze acreditam que você é o Messias?

Estávamos sentados em um píer ao lado de um dos barcos de Zebedeu. Jesus olhou entre as tábuas para a água.

— O que notei é que alguns de vocês não acreditam nisso.

Para mim, a resposta foi um choque. Ele estava acreditando nisso?

— Deveríamos? — indaguei. E acrescentei: — Você acredita?

Jesus não respondeu, e repeti o que Tiago dizia ter ouvido na montanha. "Esse é meu Filho. Idolatrem-no".

— É isso que você quer? Ser idolatrado por todos nós?

Ele franziu a testa e segurou minha mão. Por um momento, não era Jesus de Nazaré, orador, líder de um pequeno grupo, esperança dos desvalidos e ameaça para a ordem estabelecida, mas meu velho amigo de lições. Ele não sabia o que devia fazer ou dizer.

— Tenho alguns... *poderes* — começou.

— Sim, tem os poderes da oratória.

— E da *cura*...

— Alguns enfermos melhoram, é verdade. É você o responsável por isso?

— Não. É Deus. Deus é o responsável. Mas ele age *por meu intermédio*!

Creio que aquela foi a primeira vez que senti medo por ele. De verdade. Medo por sua sanidade mental, talvez, mas, principalmente, por sua segurança, e suponho que pela nossa, a de seus seguidores. Quis dizer que ele nos punha a todos em perigo, mas achei que seria inútil. Que importância teria a palavra perigo para um homem que acreditava ser o Messias?

Ele disse:

— Quando sinto essa força em mim, quando minha voz diz frases que eu não poderia ter inventado, palavras que não são minhas, mas de Deus...

Ele parou, e eu não soube o que dizer. Não se tratava de palavras dele, talvez, mas eram suas variações a partir daqueles textos maravilhosos que havíamos decorado na infância. Eles constituíam o fundamento de sua eloqüência. Sua genialidade consistia em reformulá-los espontaneamente, mas ele não parecia reconhecer as linhas que brotavam de seus lábios. Sentia que alguma força externa falava por seu intermédio, usando-o como condutor.

Ficamos ali sentados ao sol, dois amigos, um deles, ao que tudo indicava, começando a acreditar que podia ser o Filho de Deus. Quis dizer-lhe que ele começara com uma mensagem e que agora acreditava ser *ele* mesmo a mensagem, mas isso me pareceu rude demais.

— Veja — falou Jesus, apontando para uma fresta entre as tábuas do píer. Uma enguia prateada aproveitava a luz que penetrava pelas brechas, virando-se preguiçosa de um lado para o outro, mas sem deixar seu local privilegiado.

Eu olhei, pensando no relato do Pentateuco sobre a Criação, imaginando em que estado de espírito alguém podia começar a se inscrever, ou se ver inscrito, na história. Filho de Deus, o Criador. Era absurdo. Embaraçoso.

Então, seguindo um padrão de pensamento por associação, ou com completa irrelevância, pensei na história do Dilúvio, em como Noé não tivera de levar enguias, peixes ou qualquer outra criatura aquática para sua arca. Era uma anomalia que me parecia inquietante.

Jesus levantou-se. Seus movimentos eram decididos, como se ele houvesse resolvido alguma coisa ou, talvez, abandonado uma questão qualquer. Ele disse:

— Temos de esperar pelo desenrolar dos eventos. Devemos ser pacientes. Não deixe o medo estragar o que estamos realizando. Temos de acreditar em nós. Creia, e seja feliz.

"Ser feliz" era um de seus temas naquele período. Ele ainda podia irradiar um pouco daquele otimismo inocente e a promessa dos primeiros dias, quando parecia que árvores floresciam e pássaros cantavam quando Jesus passava. Nesse estado de ânimo, ele era o pastor capaz de levar o rebanho a bons pastos, a pomba no fim do dilúvio, a luz brilhando na escuridão, a Palavra feita carne.

Ele tinha críticos, certamente, até mesmo entre sua própria gente. Os fariseus o acusavam de deixar seus seguidores comerem e beberem em excesso. Diziam que ele exigia não mais do que fé, que curava doentes no Sabbath, deixava leprosos tocarem-no, conversava com mulheres as quais conhecia casualmente. Diziam que ele negligenciava os rituais de purificação e fazia amizade com prostitutas e coletores de impostos.

Certa vez, voltando a Cafarnaum em um Sabbath, seguimos por um atalho que cortava terras cultivadas. Não havíamos comido nada, e alguns de nós colhemos espigas de milho maduras para comer no caminho. Do outro lado do campo, encontramos um grupo de fariseus caminhando em fila única para a sinagoga. Eles reconheceram Jesus e nos viram andando em grupos de dois ou três, mastigando o milho, e seu líder aproximou-se para reprovar Jesus por nosso comportamento. Estávamos roubando, desrespeitando o Sabbath, e nem me lembro do que mais.

Jesus respondeu citando precedentes (ele apreciava debater as escrituras e geralmente vencia esses debates). Davi, ele disse, havia levado seus amigos ao templo e os encorajara a comer dos doze filões sagrados.

— Você é Davi? — devolveu o fariseu, indignado. — Estamos no templo?

O sorriso de Jesus sugeria alegria e desafio.

— Posso ser um Davi, meu velho, se for esse o requisito para tornar legal o ato de comer algumas espigas de milho. E este — ele abriu os braços e olhou para o céu azul — certamente é o templo de Deus.

Às vezes fazíamos barulho à noite e nos acusavam de beber demais. Algumas vezes as acusações não eram infundadas, e era Maria Madalena quem nos obrigava a calar e manter a ordem. Não era Jesus. Na estrada, ela se portava como uma espécie de supervisora, não puritana, mas ocupada de nossa reputação e da manutenção da paz.

Quando eu sentia o poder e a beleza da pregação de Jesus, não me importava com a verdade literal. Meu ceticismo era vivo, pertencia a meu cérebro, à minha inteligência, e não ia querer viver sem ele. Mas podia pô-lo de lado, deixá-lo descansar enquanto eu apreciava o espetáculo: seu calor, sua graça, sua inteligência e sua eloquência; acima de tudo, a esperança que ele dava aos desafortunados. Mesmo que se tratasse de uma falsa esperança, era melhor do que o desespero que ela substituía. "Jesus de Nazaré" era uma história. Dia a dia ele a contava vivendo-a, e eu não conseguia me afastar daquilo tudo. Que importância tinha a crença?

Mas era importante para ele, e aí residia a dificuldade. Jesus a exigia constantemente — de nós, discípulos, e das multidões, seus seguidores. Ele podia viver sem comida. Podia atravessar o deserto sem água. Não parecia necessitar do amor de uma mulher. Podia caminhar sobre pés feridos. Mas não conseguia sobreviver sem crentes. Tínhamos de acreditar nele, essa era a exigência que nos fazia, e então, ele assegurava, todo o bem viria. Eu me ressentia contra esse desafio ao meu bom senso, porque ele ameaçava meu prazer em acompanhar o desenrolar "da história". Nenhum deus "verdadeiro", eu costumava dizer a mim mesmo, nenhum "Filho de Deus" exigiria fé como ele a exigia nem teria necessidade dessa fé como ele precisava dela. O problema era que ele mesmo tinha dificuldade para acreditar na história, mesmo enquanto a contava, mesmo enquanto a representava.

Então começou o escurecimento de sua mensagem, de sua personalidade. Não creio que esse novo aspecto sombrio pudesse ser atribuído a uma única causa, mas, se houve um gatilho específico, este foi a notícia da prisão de João Batista. Não notei o efeito de imediato. Mas, lentamente, ele se tornou óbvio, uma mudança de tom, maneiras e atitude, que não era possível deixar de perceber. Era como se ele houvesse adquirido parte do tom ameaçador e sombrio de João, não por imitação, mas porque sua visão do mundo em que vivíamos se tornara mais sombria pelos rumos dos eventos.

Recebemos a notícia da prisão por intermédio de um condutor de camelos. Herodes Antipas estivera visitando sua fortaleza em Maquero, no Mar Morto, e enviara espiões para ouvir João pregando não muito longe dali, em seu local de costume, às margens do Jordão. Eles voltaram relatando falta de respeito pela autoridade e, pior, sua condenação ao que ele chamava com grande ousadia de sedução de Herodias, a esposa do meio-irmão de Herodes, com quem ele se casou depois de ambos terem obtido o divórcio.

Esse foi um escândalo na terra, comentado por todos, mas só em sussurros. João não sussurrava. Ele vociferava e anunciava seu ultraje aos quatro ventos. Era uma ofensa contra o Deus de Israel. Esse "rei dos judeus", Herodes Antipas, nem era um rei, mas um tetrarca, "uma quarta parte de um rei". Nem era um judeu. Era um idumeu, e um boneco dos romanos. Devia ser arrancado do trono. Devia ser feito escravo e posto para servir nas galés. Devia ser apedrejado... e assim ele prosseguia.

Herodes não hesitou. Mandou uma tropa de homens armados ao rio. Encontraram João dormindo em uma caverna próxima. Ele foi arrastado de lá, puxado por seguidores que queriam protegê-lo, e levado acorrentado para a fortaleza, onde foi atirado na mais funda masmorra.

A fortaleza de Maquero era formidável. Localizada no alto de uma colina, tinha muralhas muito altas da quais se podia ver a oeste o Mar Morto e, além dele, o deserto da Judéia; a leste, as colinas estéreis do reino nabateu. Pensar em João trancafiado ali nos incomodava muito, mas perturbava especialmente Jesus, e em seu sermão seguinte, proferido do barco de Zebedeu na mesma noite em que havíamos recebido a notícia, ele não escondeu a indignação.

— Quando nossos governantes ouvem que há um profeta na terra, uma voz clamando no deserto, e enviam espiões para relatar o que ele diz, o que esperam ouvir? Que esse homem é tímido, não fala contra os pecadores, é só mais um junco batido pelo vento? Que se cobre de fina seda e come em pratos de prata? Seda, prata e palavras vazias são o estilo *deles*, não o de um profeta. E meu primo João é um profeta, um homem de virtude e verdade, um homem honrado no Céu. Se o Senhor nos manda um guia para mostrar o caminho da salvação, para nos impedir de tomar atalhos perigosos e seguir por alamedas de pecado, esse guia deve caminhar na ponta dos pés e falar sussurrando? Não, ele vai esbravejar como João esbravejou. Será o raio que vai rachar ao meio o carvalho empedernido. Essa prisão é uma violência contra o Reino do Céu.

Jesus parecia alimentar-se da própria ira, vociferando contra seu povo, contra as cidades e os vilarejos da Galiléia, que, ele afirmava, provavelmente aceitariam a prisão de João sem uma palavra de protesto.

Mas nós havíamos pensado (ele continuou) que poderíamos evitar a fúria de Roma e provocar, em seu lugar, a grande ira de Deus? Uma terrível e merecida vingança poderia cair sobre nós, uma vingança que faria o fogo e o enxofre de Sodoma parecerem uma simples chuva de primavera. Ninguém seria poupado. Nada. Nem mesmo Cafarnaum.

— Ela virá — Jesus gritou. — Vai acontecer. Cafarnaum pensa estar segura? Isenta? *Não contem com isso!*

Seus olhos lampejavam. Segurando-se à corda do mastro com uma das mãos, ele se debruçava sobre a balaustrada do barco para a multidão sentada na praia, pessoas que, alarmadas, pareciam hipnotizadas pelo discurso assustador. Os sapos se haviam silenciado depois do último grito. As montanhas prendiam o fôlego. Os chacais não latiam. Havia apenas o som da água em movimento.

Ele fechou os olhos como se orasse em silêncio. Quando retomou o sermão, seu tom havia mudado. A voz era baixa, rouca.

— O que digo a vocês é dito em nome do Céu. Sou o filho que fala pelo Pai. Se vocês têm preocupações que pesam sobre seus ombros, tragam-na a mim. Esse é o desejo do Pai. Eu carregarei o fardo. Usarei a canga. Na essência de minha mensagem há amor, e é o amor de meu Pai.

Não creio que tenha sido o único ali a sentir medo e espanto. Uma chuva de fogo e enxofre sobre sua amada Cafarnaum! Uma punição pior do que aquela lançada por Deus sobre Sodoma! E depois a mudança, a voz baixa, as instruções dadas por alguém que só ele podia ouvir, uma mensagem sussurrada no silêncio criado por suas ameaças. Essa voz lhe fizera lembrar que Jesus era o Bom Pastor, não João, o Flagelo dos Pecadores.

Mas, enquanto tudo isso acontecia, havia algo mais imediato para distrair-me. Quando a multidão se dissipava, Tiago veio me informar que um homem que esperava nas sombras era um servo que trazia uma mensagem para mim. Fui ao encontro desse homem e recebi a mensagem de meu pai.

— Ele lhe envia sua bênção, Senhor. E pede que vá visitá-lo. Orientou-me a esclarecer que o assunto é da máxima importância e que ele espera sua presença imediatamente.

A distância até Tiberíades não era muito grande, e eu queria ir, mas não sabia o que poderia dizer a Jesus. Ele se tornara inconsistente e imprevisível sobre nossas ausências, reagindo com tranqüilidade em certo momento em que muitos de nós tínhamos de nos afastar para resolver questões de família ou negócios, mas mostrando-se ofensivo pouco depois porque outros colocavam (como ele mesmo dizia) a família acima de nosso ministério coletivo. Recentemente, quando Tomé recebera a notícia da morte do pai, Jesus o orientara a não viajar para o funeral.

— Seu lugar não é aqui? Você tem um Pai no Céu. Deixe os mortos sepultar o morto.

Consultei Maria Madalena sobre o que eu deveria fazer.

— Não o preocupe com isso agora — ela sugeriu. — Vá, simplesmente, e volte assim que puder. Eu direi a Jesus que você não quis perturbá-lo nesse momento, em que ele já está tão apreensivo por João.

Dormi mal e pedi a Zebedeu para despertar-me ao amanhecer, quando ele deixava o leito para ir trabalhar nos barcos. No dia seguinte, por volta do meio-dia, cheguei à casa de meu pai. Nós nos abraçamos em silêncio, incapazes de expressar com palavras a emoção que sentíamos. Uma refeição foi preparada e servida.

— O que tenho para dizer — ele começou assim que nos sentamos para comer — relaciona-se a seu estilo de vida. Não se assuste, não se trata de aprovação ou censura. É só uma questão de segurança.

Deitado perto do lago
certa vez, em uma noite
de verão, ouvi

André relatar
como, no batismo
de Jesus,

um pombo apareceu
num raio de luz
e uma Voz disse

"Este é meu amado
Filho de quem
muito me agrado".

Eu acreditava
nisso? Não. Havia estado ali
no rio e

não vira nenhum pombo, não
ouvira nenhuma voz. Mas é verdade
que fiquei perplexo

não pela gramática de Deus
tão perfeita
mas por ela parecer

além da
capacidade de invenção
do pescador André.

CAPÍTULO 15

M eu pai, tudo indicava, continuava prosperando. Foram grandes os ganhos nos negócios resultantes, em parte, da viagem que fizera pela Galácia, e ele era, de tempos em tempos, quando Herodes Antipas se encontrava em sua residência em Tiberíades, convidado para as celebrações oficiais no palácio. Ele considerava Antipas (meu pai me disse naquela voz baixa que adotava quando os criados estavam fora da sala) um homem de alguma capacidade, mas vaidoso e auto-indulgente. Tomar a esposa do meio-irmão constituía apenas o exemplo mais conhecido; e agora ele estava nas mãos dela, temendo perdê-la, disposto a todas as tolices para lhe agradar.

Herodias, meu pai relatou, era bela, dona de certo encanto. Ela era capaz de atos generosos, mas também de crueldades e mesquinharias. O que a tornava perigosa era a vaidade. Ofendia-se com facilidade, notava qualquer deslize, mesmo os que não haviam sido intencionais ou pessoais, e usava a influência que exercia sobre o marido para vingar-se. Herodias recebera de Maquero uma mensagem dando conta de que Herodes chegaria portando um presente especial e ficou muito feliz quando viu à sua porta, posto a correntes, um profeta que a havia difamado. O homem cativo foi atirado a seus pés.

João fora transportado em uma gaiola tão pequena que, mesmo sentado, tivera de manter a cabeça inclinada. Quando se queixara da incômoda posição, ele havia sido arrancado da gaiola e obrigado a andar descalço, puxado por um soldado a cavalo, com uma corrente presa a um colar de ferro em seu pescoço e usando algemas nos tornozelos que o impediam de dar longos passos. Às vezes ele caía e era arrastado pelo solo de terra e pedras. João chegara a

Tiberíades imundo, semimorto, coberto de cortes e hematomas, e fora exibido nu para Herodias antes de ser jogado em sua cela.

Herodias o desejara executado, mas Herodes, temendo provocar inquietação entre seu povo, recusara o pedido. Com essa recusa, ele havia perdido da esposa os favores que conquistara com a detenção. Por alguns dias ela seguira choramingando e reclamando, atormentando-o com acusações histéricas e questões retóricas. Que tipo de homem era ele, que tipo de *rei*, que tinha nas mãos o rebelde que tanto difamara e caluniara sua *rainha* e permitia que o patife seguisse vivo?

Mas, então, em uma mudança repentina (parte de seu fascínio, na opinião de meu pai), ela anunciara uma festa para comemorar o aniversário do marido. Nessa celebração, sua filha Salomé, uma jovem de dezesseis anos que retornara recentemente de Roma, dançaria a dança dos véus.

Era uma festa ao estilo romano para a qual meu pai fora convidado. O banquete contava com muita comida de excelente qualidade e inúmeras garrafas do melhor vinho disponível. Cozinheiros, servos e escravos trabalharam duro, e com o transcorrer da noite os convidados foram se embriagando. Algum tempo depois da meia-noite, Herodes, bêbado e obcecado, como pretendia sua esposa, pela beleza da enteada, suplicara que a jovem repetisse a dança dos véus. Salomé negara-se a atender ao pedido, beijando o rei e acariciando-o. Ele pusera aos pés dela tudo que existia no mundo, prometendo que atenderia a todos seus caprichos se ela lhe agradasse com mais uma dança.

— Ouçam minha promessa — Herodes gritara para os convidados — e condenem-me se eu me negar a cumpri-la!

Antipas jamais havia considerado que Salomé poderia pedir algo em nome da mãe.

— Por favor, honrado padrasto — ela havia solicitado com aquela voz doce de virgem —, dê-me a cabeça de João Batista.

A dança foi maravilhosa, repleta de charme e graça, mas também repleta de ventre, glúteos e seios adolescentes. Herodes estava bêbado, era um homem de poder acostumado a ter todas as coisas. Todos podiam ver que ele estava desconcertado com o pedido, mas engoliu mais um copo de vinho e gritou para os convidados:

— Devo dar o que ela pede?

— Sim! — Todos responderam. — Atenda ao pedido!

— A cabeça do profeta? — Herodes insistiu.

— A cabeça do profeta — responderam os presentes gritando, aplaudindo e batendo nas mesas.

Meu pai, também inebriado pela bebida, não estivera tão bêbado a ponto de não sentir horror e vergonha diante do espetáculo hediondo. Herodes exibia seu poder e sua crueldade para o povo, que o considerava fraco e hesitante. A menina queria a cabeça do profeta? Muito bem, ele era o tetrarca, e ela a teria!

O executor foi mandado à masmorra com instruções passadas em voz baixa. O homem era Mannais, o mesmo que fazia as execuções no tempo de Herodes, o Grande. Tratava-se de um homem velho, mas ainda forte e saudável, um artista de talento sem concorrência. Ele havia despachado grande número de parentes problemáticos do velho Herodes — incluindo um de seus filhos, meio-irmão de Antipas —, um por afogamento, outro por asfixia, queimando vivo um terceiro e decapitando o restante.

Um murmúrio de pavor ecoou na multidão de convidados. Certamente, tal desfecho não podia ser possível. Herodias parecia mais ansiosa do que satisfeita. Herodes tornara-se pálido e tenso, sorvendo vários copos de vinho em uma sucessão rápida, fechando os olhos com força para depois abri-los ao máximo, balançando a cabeça para o lado em espasmos estranhos. Os músicos começaram a tocar para preencher o silêncio tenso. Ninguém dançava ou cantava, e a música silenciou.

Quando o executor voltou, todo o salão iluminado por candelabros capazes de sustentar juntos mais de dez mil velas permanecia silencioso. Todos estavam apreensivos. Muitos acreditavam que tudo terminaria em uma piada.

O executor havia passado pela cozinha para pegar uma grande bandeja de prata. Nela, junto com algumas ervas e temperos, estava a cabeça do profeta, os cabelos sujos de sangue. O sangue escorria da bandeja para o chão e manchava as mãos, os braços e o peito nu do carrasco.

O troféu foi exibido para a adolescente, que fechou os olhos e virou o rosto para não vomitar. Herodias, alarmada com o que havia feito, foi a primeira a recobrar a compostura. Ela ordenou que o executor se retirasse com seu troféu, colocou-se diante do tetrarca, agora espantado e visivelmente deprimido, escondendo-o dos convidados enquanto fazia um breve discurso.

A festa havia sido um marco, ela disse, mas, infelizmente, chegava ao fim. Herodias agradeceu a presença de todos, agradeceu os presentes e os votos de felicidade por ocasião do aniversário de seu marido e mencionou especialmente "seus amigos romanos", apontando o prefeito da Galiléia e seu acompanhante, um representante de Pôncio Pilatos, expressando seu respeito e o do tetrarca pelo divino Tibério, a quem eram gratos e cujo nome sua cidade honrava. Ela esperava que todos os presentes levassem apenas as melhores lembranças da noite, esquecendo rapidamente o que não merecia ser recordado. O tetrarca consideraria inúteis certos comentários tolos.

— Tomei aquelas palavras como um aviso a todos nós — disse meu pai —, por isso conto essa história agora, colocando-me em certo risco, mas por estar preocupado com sua segurança. Ouvi comentários na festa. Gente que falava de seu amigo Jesus. E tenho ouvido mais coisas desde então. Falam dele em todos os lugares, e você deve entender que Herodes o mantém vigiado.

Eu respondi que já imaginávamos que isso estivesse acontecendo.

— Herodes é perigoso — meu pai continuou. — É imprevisível, especialmente com aquela mulher em sua cama. Ele pode destruí-los todos em um capricho, e os romanos simplesmente darão de ombros e seguirão seus caminhos. Não vai afetá-los. Eles nem se importariam.

Meu pai adotava um tom razoável, de homem para homem, prevenindo-me, sendo cauteloso para não parecer interferir em minha vida ou me dar ordens. Eu sabia como isso devia ser difícil para ele, como ele devia estar desgostoso com Jesus e seu grupo, e quanto reprovava minha associação com eles. Não haveria para mim qualquer oportunidade de trabalho nos ofícios de meu próspero e respeitado tio em Jerusalém. Meu pai já devia estar conformado com isso e queria, mesmo assim, reconquistar o amor do único filho. Embora nada disso fosse dito, eu sentia o real significado de suas palavras e me emocionava com elas.

— Precisava preveni-lo — ele concluiu.

Eu lhe agradeci e apertei suas mãos entre as minhas. Pedi perdão pelas decepções que havia causado, e sua resposta foi serena:

— É claro, é claro... — E abençoou-me.

Alguém que testemunhasse aquele momento tão contido e silencioso não poderia imaginar a emoção nele contida.

Voltei a Cafarnaum naquela tarde e encontrei Jesus sentado em um banco fora da gruta onde havia a fonte, entalhando uma flauta de junco como a que o pai dele costumava tocar em suas noites em Nazaré. Imaginei que ele estava aborrecido comigo, porque me havia ausentado sem sua permissão, e isso me fez apressar o relato dos fatos.

Tentei dar a notícia da morte de João com alguma delicadeza. Ele me ouviu. As mãos seguravam o junco e a faca, mas não se moviam. Ele não vertia lágrimas. Apenas continuava ali, quieto, com uma expressão distante no rosto, retraído, pensativo.

— Preciso refletir sobre tudo isso — Jesus anunciou depois de algum tempo. — Certamente saberei o que devemos fazer.

Ele passou boa parte da noite em oração. Na manhã seguinte, decidiu que devíamos nos afastar da jurisdição de Herodes Antipas, mesmo que temporariamente. Naquele mesmo dia nós atravessamos o lago, Jesus, os doze seguidores, Maria Madalena e algumas esposas e simpatizantes, todos transportados por Zebedeu e mais três de seus empregados em barcos de pesca.

Desembarcamos no local onde um rio encontra o lago, não muito longe de Hippos. Jesus tinha seguidores ali, e com sua ajuda montamos um acampamento e nos alimentamos. Era um lugar adorável, com oliveiras proporcionando sombra e campos planos onde víamos figueiras e arbustos de pequenos frutos crescendo entre as pedras. No alto das encostas que começavam na margem do lago havia parreiras de flores amarelas. Ainda posso me lembrar com nitidez do cheiro de limão que invadia a região todas as manhãs, quando o lago passava de cinzento a verde e as nuvens sobre as colinas a leste se mostravam rosadas.

Passamos cinco dias nos ocupando pouco. Só uma vez Jesus pregou para um grupo que, tendo ouvindo a notícia de sua presença, viera de um vilarejo próximo. Essa foi uma das ocasiões em que a "quase fome" se transformou em "abundância suficiente para ser partilhada", tudo graças à generosidade da população local. Foi essa ocasião que deu origem ao relato de Ezra sobre a multiplicação dos pães e dos peixes.

Com exceção dessa ocasião, ficamos ali esperando Jesus, que esperava por Deus. Nenhuma palavra vinha do Pai, e por isso nada ouvíamos do Filho. Ele e eu nos entretínhamos com os jogos de palavras que fazíamos na infância. Competíamos tentando lembrar passagens da escritura. Trocávamos recordações de Andreas e falávamos sobre a história que ele nos havia ensinado e sobre filosofia. Eu lembrei a história de Diógenes e Alexandre, o Grande, e disse a ele como sua reação exagerada me havia embaraçado.

Jesus riu.

— Sempre soube que você se achava superior.

— Mas esse sentimento não durou. Você era o mais inteligente, o mais belo...

— Eu era belo?

Confirmei minha opinião.

— Não sabia. Nunca tivemos um espelho em casa.

Ficamos sentados à margem do lago vendo as duas duplas de irmãos, Tiago e João, Simão Pedro e André, competindo no arremesso de redes que resultaria no pescado de nosso jantar. Com uma funda e pedras nós tentávamos (sem sucesso, embora um ou dois tiros diretos tenham sido declarados) derrubar raposas que corriam pela vegetação. Fizemos amizade com um bode solitário e o levamos a uma área de melhores pastagens. Eu o apelidei de bode expiatório, mas garanti que era só uma brincadeira, pois ele não teria de pagar por meus pecados. Ainda muito novo, o animal gostava de brincar de dar cabeçadas. Um de nós apoiava a mão em sua testa, e ele fazia força para empurrar o competidor humano.

Pescávamos e nadávamos no rio. Certa vez, caminhando sob as oliveiras em uma noite quente, Jesus e eu, brincando e trocando empurrões, acabamos lutando como fazíamos na infância. Surpreendi-me com a sensação de familiaridade e conforto gerada pela experiência.

Cantávamos, juntos e separados. Bartolomeu conseguia um tom mais agudo, quase um falsete. Certa noite, Jesus nos convenceu a dançar em torno da fogueira. Era uma dança que ele havia aprendido em seu período com os essênios. Ele nos ensinou os passos básicos, depois tocou a flauta de junco. Ali, à margem do lago, os doze homens, mais Maria Madalena e três ou quatro simpatizantes, dançaram até a exaustão, alguns com mais graça, outros mais desajeitados, todos sorrindo e entrelaçando os braços, jogando as cabeças para trás e seguindo velhas melodias que ouvíamos nos vilarejos, canções que pareciam pertencer ao passado, ao antigo tempo dos profetas.

Fomos felizes durante aqueles dias, e eu me peguei esperando que Jesus acatasse o aviso representado pela morte de João e voltasse aos tempos mais seguros de ensinamentos que ele havia começado depois de sua estadia com os essênios. O que eu mais queria era um retorno à vida simples e anônima dos cães filósofos, quando éramos conduzidos por nosso Diógenes e advogávamos, por intermédio da palavra e do exemplo, em favor da vida simples e da moral básica, uma vida na qual podíamos ser bem recebidos, alimentados e aplaudidos, ou repelidos e apedrejados.

Se ele não fosse um orador tão poderoso, talvez pudéssemos retomar essa vida. Mas, enquanto esse poder persuadisse os ouvintes a acreditar que ele poderia ser o salvador de Israel, o Messias tão esperado e prometido pelos profetas da Antigüidade, não havia esperanças de uma vida simples ou de sermões inofensivos. Por seu talento, Jesus era condenado à fama e a suas conseqüências.

Na manhã do sexto dia ele emergiu de sua tenda com um ar de propósito renovado. Seus olhos estavam vermelhos, e havia nele algo da velha personalidade passional e compenetrada que eu aprendera a associar com os sermões mais contundentes.

— Quantas semanas faltam para a Páscoa? — ele perguntou.

Levamos alguns minutos para chegar a uma resposta.

— Temos de chegar a tempo — Jesus decidiu.

Perguntei em que lugar, sabendo qual seria a resposta, mas esperando que pudesse ser outra.

— Jerusalém — ele disse. — Mas temos muito a fazer antes disso.

— Todos nós?

— Todos nós.

Mesmo quando criança
eu odiava a
cerimônia

que escolhia um bode
para levar em seus cornos
os erros que pecadores

de nosso vilarejo
confessavam — depois o apedrejavam
e expulsavam

sangrando para
correr riscos sozinho
nas terras desertas.

Eu queria
fazê-lo meu amigo, mas eles
diziam: "Aqueles são

nossos pecados de que
nos livramos por mais
um ano. Deixe-os".

Jesus, entendo
agora, queria ser
o bode expiatório,

para assumir
os pecados de
nosso vilarejo, do mundo.

CAPÍTULO 16

Uma conseqüência de chegar aos setenta anos é que a maioria das pessoas com quem sonhamos já morreu. Deve ser uma maneira de manter contato. Sonho sempre com Thea, com nossos primeiros anos de vida em comum, quando as crianças eram pequenas, mas também sonho com Judith e até com meus anos de infância. Há dias ou semanas em que os únicos sonhos que consigo lembrar são sobre meu pai. Depois ocorre uma mudança, e minha mãe assume o lugar principal. E, é claro, Jesus está lá. Jesus, o menino, Jesus, o evangelista, Jesus, "rei dos judeus", debochado, flagelado e pregado na cruz.

Na noite passada sonhei que havia um homem morto no quarto que eu ocupava quando criança, e perguntei à minha mãe o que devia fazer. Então, notei que Jesus também estava no sonho, vestido de branco como estivera em meu casamento com Judith. Ele se oferecia para "fazer um milagre". Seu tom não era jactancioso ou tipo Filho do Homem. Era prático e prestativo, o tom que um vizinho com prática em serviços gerais pode adotar ao oferecer ajuda para consertar a cisterna de sua casa ou reparar uma veneziana quebrada. Minha mãe lhe agradeceu, e ele se dedicou ao trabalho. Como um mercador, ele praguejava, dizia um ou outro palavrão, e seus olhos giravam nas órbitas com o esforço. Finalmente, o homem morto começou a respirar. Seu rosto se contorceu, seus olhos se abriram, e ele gemeu dolorosamente, como se fosse sofrido voltar do mundo dos mortos, como se preferisse não ter sido incomodado. Olhei para a cama na qual ele estava e me vi refletido. Então reconheci que Jesus era o homem na cama.

Depois da morte de João e durante nossa lenta jornada até Jerusalém, houve muitos rumores sobre levantar os mortos. Basicamente, era sempre aquela coisa das metáforas. Jesus fazia o cego enxergar, o surdo ouvir, o aleijado andar, o morto viver. Essas também eram coisas feitas pelos aflitos, e não para eles. Esses homens haviam estado cegos ou surdos para Jesus, incapazes de andar para ele, mortos para sua mensagem. Agora, tudo era revertido.

Mas eu reconhecia que as afirmações começavam a se tornar ambíguas, e talvez, para alguns, sempre houvessem sido. Insinuações tornavam-se sugestões, sugestões assumiam o tom de afirmações que deveriam ser compreendias literalmente, ou poderiam ser, em algumas circunstâncias. Jesus dizia a uma multidão "Não fiz o cego ver a verdade e o surdo ouvir a palavra do Senhor?", e a questão retórica provocava gritos de afirmação e aleluias, como ocorreria se ele perguntasse "Não fiz os mortos andarem entre vocês?". Mas o que a multidão compreendia nesses momentos? E em que, em seus pensamentos, ele acreditava?

Certa vez, quando ele se dirigia a uma multidão reunida em uma praça de um mercado, um homem cego no fundo do grupo começou a gritar.

— Jesus, Filho de Davi, ajude-me!

Jesus não respondeu, e pessoas tentaram silenciar o homem, mas ele continuava repetindo:

— Jesus, filho de Davi, ajude-me!

Jesus parou e pediu a Mateus que truxesse o homem. Eu estava perto e pude ouvir suas palavras.

— O que você quer? — indagou Jesus.

— Quero vê-lo — o homem respondeu estendendo as mãos, tocando a manga da túnica de Jesus.

— Você sabe quem sou eu — ele respondeu, afagando o rosto do cego e tocando suas órbitas vazias. — Ouviu minha voz e demonstrou ter fé em mim, e essa fé o fará inteiro. Fique contente.

Aquele toque no rosto e nas pálpebras, bem como a voz terna e paternal, serviram para acalmar o homem cego; mais tarde, ouvi vários relatos dando conta de que Jesus havia restaurado a visão desse seguidor.

Foi durante aquelas semanas que comecei a me dar conta de quanto estava afastado dos outros discípulos, e de Jesus, também; ou, mais precisamente, de quanto me havia afastado de mim. Eu estava onde havíamos começado. Eles tinham mudado. Sempre houvera uma brecha, uma lacuna. Agora, era um abismo. À medida que Jesus reclamava poderes cada vez maiores para si mesmo, mais cético eu me tornava. Sentia que ele ainda era meu amigo, mas existia uma tensão que não estivera ali antes. Ele gostava menos de mim, eu acreditava, ou se importava menos comigo... E como poderia ser diferente? Agora ele acreditava ser uma encomenda de Deus. Não tinha tempo para preocupar-se com alguém que havia sido posto, erroneamente, eu podia apostar que era essa sua opinião, naquela empreitada tendo por base apenas uma amizade de infância, uma associação de bancos de aula, e que agora demonstrava inequívocos sinais de falta de fé.

Não havia discussões ruidosas ou afastamento visível, mas não era necessário. Meus silêncios eram suficientes para mostrar minha posição e também para deixá-la clara aos outros discípulos, que estavam sempre querendo saber por que eu nunca afirmava isso ou aquilo sobre os poderes do Mestre e sua grandeza. (Referindo-se a ele como se o Mestre fosse um desenvolvimento recente, um desenvolvimento que eu considerava desagradável, mas que ele mesmo não desencorajava.) O que tinha acontecido? Por que eu me tornara tão pouco prestativo, pobre de espírito e silencioso?

Não que tudo mais no grupo fosse doçura e luz. Éramos como uma pequena corte ,com freqüentes disputas pelos favores do príncipe, às vezes amargas e feias. Mas nesse período eu substituí Mateus, o coletor de impostos que, no início, havia sido depositário de todas as nossas antipatias, aquele de quem sempre se podia falar mal. Havia momentos em que eu mesmo compartilhava esses sentimentos de antipatia por mim. Eu mesmo me desgostava. Nossa fé, sempre frágil e instável, precisava da confirmação da unidade. Éramos o júri da divindade de Jesus, e nosso veredicto deveria ser unânime.

Foi essa a natureza de minha "traição", não (como Ptolomeu e outros evangelistas que passaram por Sidom costumavam dizer a suas congregações) o tão decantado suborno de trinta moedas pelo qual revelei seu paradeiro. Minha "traição" consistiu em recusar-me a afirmar coisas em que eu não conseguia crer. Hoje penso nisso como uma parábola para a mensagem de Jesus: Acredite, ou vá para o inferno! Não consegui acreditar e não fingi o contrário, e desde então seus seguidores têm me enviado ao inferno em suas narrativas.

Contrariamente ao que ouvi dizerem sobre mim, eu não gostava de ser o estranho no ninho. Sentia-me culpado. Naquelas semanas procurei me lembrar de que estava ali seguindo um antigo colega de escola, não o Filho de Deus, mas sentia um desconforto crescente, vivia solitário e, em alguns momentos, temeroso.

O sermão de Jesus ia se tornando mais confiante, às vezes com a gentileza dos velhos tempos, com um charme incomparável e uma doçura imensa, mas era mais comum que fosse desafiador, ousado, habilidoso e extremo. Eu admirava e apreciava esses sermões, partilhando o orgulho leal que suas palavras produziam nos discípulos, sentindo o fervor instilado nas multidões. Mas era atormentado por minhas ansiedades. Com o aumento no número de ouvintes, havia um ar de triunfo crescente em sua atitude, na forma como ele se colocava, como se ocupasse o centro de um palco. Jesus, o cordeiro, transformava-se em Jesus, o leão. E o cauteloso Jesus, que havia dado uma resposta evasiva quando questionado sobre se os impostos deveriam ser pagos, tornava-se menos cuidadoso, atrevido até. Minha ansiedade estava relacionada ao grupo, mas era maior por ele. João, afinal, havia sido arrancado dos braços daqueles que o apoiavam e defendiam, isolado e morto. Por que não poderia acontecer o mesmo com Jesus?

E isso era algo que ele agora parecia provocar, quando não incentivar. Jesus começou a prever a própria morte, mas com insinuações de que não ficaria morto por muito tempo. Logo viria a carruagem de fogo, e depois dela viria a *seleção*, a divisão entre aqueles que entrariam no Céu e os outros, que seriam escravizados no inferno e teriam uma eternidade de tormento. Essa era a parte de sua mensagem que mais perturbava os discípulos e causava disputas. Às vezes, eu percebia, pensar na vida sem ele os deixava devastados. Em outros momentos eles se tornavam questionadores, querendo saber que lugares ocupariam nessa carruagem e, no Céu, quem se sentaria mais próximo de seu trono.

Naquela nossa última manhã no acampamento, onde o pequeno rio corria para o lago, ele nos reuniu para dar instruções. Eu me sentei na periferia do grupo sob o pálido sol matinal, olhando para a correnteza cristalina em que peixes — trutas, possivelmente — nadavam vigorosamente e faziam grande esforço apenas para permanecer em um mesmo lugar, às vezes virando de lado e se deixando carregar pela correnteza de volta ao lago. De vez em quando uma brisa suave sacudia as folhas dos galhos mais baixos, lançando na água pequeninos insetos e besouros. Um deles se debateu por alguns minutos na superfície e depois desapareceu em meio ao jato prateado. Era tudo tão lindo, tão natural e desprovido de esforço ou contrariedade, que de repente tive a impressão de que nada ali precisava de um Filho de Deus, ou mesmo (embora ainda não tivesse naquele tempo coragem para ir tão longe) de Deus. Era um mundo auto-suficiente, que não precisava de nós.

Naquela manhã, o discurso de Jesus também teve seus momentos de beleza... Ele falou sobre as crianças e como deveriam ser protegidas. A idéia de alguém ser capaz de ferir uma criança causava nele tão grande angústia que em pouco tempo a fúria se fazia notar em sua voz.

Posteriormente ele mudou de direção, pedindo a cada um de nós para fechar os olhos e pensar nele, pensar em algo a que ele poderia ser comparado. Era um jogo que já havíamos feito antes, e Jesus provavelmente tinha consciência de quanto eu o detestava. Conforme suas explicações, tratava-se de um exercício de treinamento, uma preparação para o tempo em que teríamos de pregar sem ele, quando teríamos de falar aos nossos ouvintes sobre ele e convencê-los daquilo em que acreditávamos. Essa era a lógica, mas era tudo tão focado nele que eu achava que Jesus deveria se sentir embaraçado, e, como ele não se constrangia, eu experimentava o constrangimento. Eu o sentia *por* ele.

Meus companheiros não pareciam preocupados com essa questão. Alguns, como sempre, eram tímidos, outros, pouco articulados, mas ninguém deixou de dar uma resposta. Para Simão Pedro, Jesus era como um mensageiro, um mensageiro *angelical*. Para Mateus, ele era um sábio filósofo. Para André, ele era como um pescador; para João, Jesus lembrava uma figueira.

E assim o jogo prosseguiu por um tempo, enquanto eu, avesso à idéia de participar, permanecia com os olhos baixos. Bartolomeu, que se mantinha sombrio desde nossa última visita a uma cidade, quando passara suas noites em tavernas com homens belos e jovens, acenava persistentemente para o Mestre, assinalando que tinha uma idéia. Mas ele era ignorado.

Eu olhava para a correnteza, ouvia o sussurro da água. O silêncio prolongado me fez olhar para Jesus. Era minha vez. Ele olhava em minha direção, tentando chamar-me.

— Judas. — Ele pronunciou meu nome com um tom que o fez soar vazio. — Será que pode desviar seus olhos da vida silvestre por um momento? Não tem uma contribuição?

Fiz que não com a cabeça, tentando dar a impressão de ser incapaz de pensar em algo.

— Nenhuma semelhança? — Jesus insistiu. — Não precisa ser lisonjeira.

Ele devia ter me deixado em paz. Antes mesmo de concluir a frase, eu já sabia que o silêncio teria sido melhor para todos.

— Nesse momento, você me lembra um homem cego pedindo um espelho — eu disse.

Ele me encarou sério por um instante, depois olhou para os outros com um sorriso contido.

— E Judas é meu espelho — disse. — É uma pequena parcela de Jerusalém que trago sempre comigo para nunca me julgar muito bom ou grandioso.

Ele deu alguns passos para um lado e para outro, depois voltou a falar. Era hora, ele dizia, de nos prepararmos para a estrada, uma estrada diferente, mais difícil. Na viagem para Jerusalém seríamos interceptados freqüentemente pelas autoridades e, às vezes, insultados pelo povo, mas deveríamos ter em mente que éramos portadores da verdade que havia sido escondida, e que agora precisava ser desnudada à luz. Tínhamos de ser destemidos, porque nós e nossa causa éramos conhecidos no Céu, e que mal poderiam causar simples homens àqueles que estavam aos cuidados do Senhor?

— Se encontrarem resistência, não dêem ouvidos e não discutam — ele disse. — Continuem. Não dêem aos cães o que é sagrado. Não desperdicem pérolas com porcos. E não se ponham à mercê da lógica de homens astutos, que podem ser cruéis como uma lâmina afiada e igualmente inúteis ao coração humano.

Mas, quando tivéssemos ouvintes atentos, cujos olhos brilhassem com o reconhecimento da verdade, deveríamos falar e transmitir nossa mensagem com clareza e ousadia.

— Lembrem-se de que as palavras podem ser como fogo e incendiar o mundo. Elas podem ser como o ouro e enriquecê-lo. E podem ser como esterco e poluí-lo.

Viajaríamos como antes, às vezes juntos, às vezes em grupos ou duplas, dividindo a responsabilidade pelos vilarejos menores, mas seguindo sempre de acordo com arranjos prévios, caminhando para Betânia, onde os primeiros a chegar esperariam pelos outros na casa de Lázaro e suas irmãs. De lá seguiríamos em um único grupo, todos juntos e com todos aqueles que nos apoiassem e quisessem nos seguir, até a cidade sagrada para a celebração da Páscoa.

Em cada nova cidade, deveríamos perguntar quem era um homem digno e abrigar-nos com ele, se fôssemos aceitos. Se não, caso os habitantes se negassem a nos receber, deveríamos seguir adiante pela estrada, sem reclamar, levando a bênção que nossa visita teria representado, sabendo que no Dia do Juízo aqueles que nos haviam rejeitado sofreriam as conseqüências.

— O que eles sofrerão, Mestre? — quis saber Mateus.

Jesus franziu a testa, estreitou os olhos e enrijeceu o rosto. Seria terrível para eles, disse. Mulheres com filhos desejariam não tê-los. Haveria tormenta, lágrimas, gritos de dor e remorso...

O mesmo relato de fogo e enxofre com que ele ameaçara Cafarnaum. Eu me levantei e me afastei do grupo. Agi sem pensar. Podia ter ficado ali sentado e quieto, mas sabia que não devia falar. Enquanto caminhava, eu me lembrava de uma parábola que ele contara semanas antes sobre um rei. O soberano enviara seus criados para irem buscar pessoas para o casamento de seu filho. Um entre os convidados mais ou menos conscritos não estava adequadamente vestido para a ocasião. Por ordem do rei, ele teve mãos e pés atados e foi atirado em uma cela sem nenhuma luz, deixado com a certeza de que nunca seria libertado.

A história parecia tão cruel, e a punição, tão severa e injusta, que perguntei o que ele queria dizer com isso, e Jesus respondeu (com a expressão rígida como agora) que "muitos seriam chamados, mas poucos seriam os escolhidos". Era essa a nova mensagem que agora tínhamos de pregar nas cidades e nos vilarejos, a de que os castigos de Deus não eram apenas cruéis, mas arbitrários?

Encontrei Maria Madalena rio acima. Ela queimava nosso lixo.

— Já parou para pensar que nosso líder pode sofrer surtos de insanidade? — perguntei a ela.

Maria Madalena me encarou com aquele olhar sereno, estável, são.

— Não — respondeu. — Nunca.

Em meu sonho a
água não sustenta
meus pés que caminham.

Ela se fecha
sobre minha cabeça e torna-se
uma fornalha.

Eu me afogo, eu
queimo, eu sufoco, fico pendurado
na figueira negra

enquanto corvos
picam meus olhos, e
uma voz do céu

grita "Esse é
o traidor cego de
Jesus, meu Filho".

CAPÍTULO 17

Voltamos primeiro a Cafarnaum, onde, conforme prevíamos, enfrentamos certo período de disputas domésticas, com alguns lamentos de esposas que teriam de continuar sozinhas cuidando dos filhos e protestos mais veementes de pais e irmãos que teriam de seguir administrando os negócios e fazendo todo o trabalho enquanto os escolhidos acompanhavam o Mestre rumo à cidade santa. Não que Jesus não tivesse apoio na cidade. Ali ele era um herói. Muitos acreditavam que era mesmo o Messias, destinado a levar toda sorte de coisas boas a Israel e seu povo, incluindo até, pelo uso de algum poder divino ainda não revelado, a libertação do jugo romano. Mas isso aconteceria no futuro; esse era o panorama mais amplo. Em meio a essas mesmas mentalidades capazes de imaginar o Filho de Deus, o fim do mundo, a carruagem de fogo, havia também, geralmente, uma ou outra pessoa mais prática e realista que perguntava como, até que tudo isso ocorresse, as crianças seriam alimentadas, os grãos seriam colhidos e as contas e os impostos seriam pagos.

Porque aqueles eram dias difíceis. Havia negociações em que o próprio Jesus se envolvia, e aproveitei uma dessas oportunidades para seguir na frente, cortar caminho por Nazaré e visitar minha mãe e Andreas. Devia ter algum pressentimento, como se antecipasse um ou outro fim, porque disse adeus como se me preparasse para passar muito tempo afastado. Encontrei minha mãe tranqüila e aparentemente satisfeita por estar envolvida em uma rígida rotina diária e até semanal de pequenas tarefas e observâncias, ao final das quais o Sabbath chegava como um bem-vindo repouso. Pela primeira vez ela parecia "idosa" aos meus olhos, mas ainda estava muito bem.

— Os anos passam depressa — explicou minha mãe. — Hoje tudo que posso fazer é manter-me em pé.

Ela se inquietava por eu ainda ser um seguidor de Jesus. No início aceitara minha decisão por se apiedar de minha perda, uma vez que Judith havia falecido pouco antes, e até recebera de bom grado minha partida, como teria feito com qualquer outra coisa que pudesse aliviar minha dor. Mas não esperava que essa etapa de minha vida durasse tanto.

— Ele era um menino tão adorável! Mas, Judas, você sabe...

Eu não tinha certeza nem do que deveria saber, por isso permanecia em silêncio.

Minha mãe perguntou, então, se era verdade que ele levantava os mortos e se "misturava aos leprosos". Respondi que Jesus era um homem notável.

— Ele inspira lealdade — eu disse.

— Mas ele inspira fé?

— Em seus seguidores... sim, é claro.

— Mas em você, Judas?

Era uma boa pergunta, mas preferi fugir dela.

— Ele a exige.

Minha mãe contou que havia conversado no mercado com uma mulher cuja melhor amiga da prima havia estado em um desses sermões.

— Ela estava com o joelho inchado fazia seis semanas. Mal conseguia andar. No dia seguinte, não havia mais nada. Nenhum sinal do inchaço.

— Bem, então é isso — eu sorri. Depois a beijei no rosto.

Minhas roupas estavam desbotadas e sujas, e minha mãe insistiu em ir comigo ao bazar, no qual comprou uma túnica — uma linda túnica vermelha com acabamento dourado — e sandálias novas e fortes. Eu me sentia limpo e arrumado, e só um pouco culpado por experimentar certo prazer com meu conforto e minha aparência melhorada. Quando chegou a hora da partida, minha mãe disse:

— Não negligencie sua pobre e velha mãe por tanto tempo. E, na próxima vez em que estiver por aqui, traga Jesus.

Eu gostaria de ter dito que Jesus voltara as costas para Nazaré e se ressentia contra o povo dali.

— Traga-o para almoçar — ela acrescentou.

Andreas também parecia mais velho, mas vulnerável e sábio. Ele se mantinha informado de todas as notícias e dos rumores sobre Jesus, muitos deles (eu pude garantir) exagerados, alguns inteiramente inverídicos. Ainda gostava muito do ex-pupilo, mas tinha um novo favorito, o que significava que a preocupação com Jesus era mais relaxada, menos possessiva.

— Ele precisa ir a Jerusalém? — Andreas perguntou. — E, se é mesmo necessário, Judas, você também tem de ir? — Ele me aconselhou a pensar nos riscos. — Não quero sugerir que seja desleal, ou que deve mentir para ele, mas, considerando o novo rumo tomado pelos ensinamentos de Jesus... Bem, vocês são adultos, agora. Mas tenha cuidado. — Ele me abraçou.

Meu pai repetiu os mesmos conselhos e avisos.

— Vivemos tempos perigosos — disse. Mas quando os tempos não haviam sido perigosos?

Em meu último dia em Nazaré, fui visitar José e Maria. José me recebeu com o afeto caloroso de sempre. Maria, creio, passara a suspeitar de que eu integrava uma conspiração que havia posto seu filho favorito contra ela. Jesus, ela me disse, fora desencaminhado. Seu grande talento, uma dádiva especial de Deus (ela abriu um daqueles sorrisos secretos e não deu mais nenhuma explicação), tinha sido manipulado por homens que não entendiam seu verdadeiro valor. Mas ele se libertaria e voltaria às origens. Ela estava convencida disso.

Respondi que Maria devia estar certa e depois me despedi. Nunca mais voltei a ver nenhum deles.

Durante aquelas semanas de nosso trajeto para Jerusalém e a Páscoa, Jesus seguia o plano que traçara no lago. Isso significava que, mais do que nunca, cada um de nós precisava realizar uma parte das pregações. Creio ser justo dizer que, além de Jesus, somente três, quatro, no máximo, de nosso grupo tinham talento verdadeiro para isso. Dentre os restantes, alguns conseguiam resultados medíocres, e outros se saíam muito mal.

Confiança não é necessariamente parte do estilo. Simão Pedro possuía certa eloqüência, mas era tímido, e por isso seu desempenho se tornava espasmódico. Às vezes ele relaxava, e sua sinceridade transparecia radiante; em outros momentos, algo o perturbava ou o distraía da linha de pensamento, a timidez o dominava, e ele se tornava pouco articulado e inaudível. Seu irmão André era sempre sério, digno, e tinha uma voz profunda e sonora. Era um homem de poucas palavras, mas todas escolhidas com esmero, e o povo quase sempre se interessava por seus sermões e se impressionava com eles.

Bartolomeu era teatral. Gostava de frases longas e rebuscadas e analogias complexas, mas não conseguia se manter fora de cena, por isso o sermão consistia basicamente em histórias nas quais ele e seu amigo "Jesus de Nazaré" (e era sempre "Jesus de Nazaré") faziam algo importante juntos.

Mateus soava como um burocrata insistindo na obediência das regras. Ele exigia que a fé fosse demonstrada, como no passado exigira o pagamento dos impostos, sempre à vista e de forma integral. Na única vez em que vi Tomé ser chamado a pregar, ele ficou paralisado e mudo diante do mar de rostos voltados em sua direção e teve de ser removido do púlpito e substituído por Filipe.

Os irmãos Tiago e João gostavam de operar juntos, geralmente em tavernas e com pequenos grupos de trabalhadores, com quem "conversavam" sobre Jesus — com Tiago assumindo a maior parte do discurso, enquanto João o apoiava com frases curtas, como "É isso mesmo" ou "É verdade!". De vez em quando eles se envolviam em brigas violentas com ouvintes que não só duvidavam do que ouviam como também queriam discutir suas colocações. Eles não deviam brigar e sabiam disso. Jesus já os prevenira sobre o melhor caminho a seguir: o Senhor puniria aqueles que não recebessem sua mensagem. Mas o vinho fluía com generosidade, os irmãos tinham punhos rápidos, e às vezes as palavras não são suficientes para transmitir a força da lealdade. Eles eram leais a Jesus e à convicção de que agora serviam ao Filho do Homem.

Certa vez pude ouvi-los em uma taverna dizendo que somente eles haviam obtido permissão para assistir ao espetáculo de Jesus erguendo do túmulo uma menina. Tinha ido até lá para informá-los de que estávamos deixando o vilarejo, mas parei na porta para ouvi-los.

— Ela havia batido a cabeça — João dizia.

— E morreu no mesmo instante — Tiago acrescentou. — Mas nós a vimos ali sentada, sorrindo para nós.

— É verdade — confirmou João antes de esvaziar o copo.

— O que mais? — perguntaram os ouvintes.

— Isso mesmo, continuem com essas bobagens — disparou um incrédulo do fundo do salão. Felizmente, nenhum dos irmãos ouviu, e logo Tiago começou a falar sobre a noite em que Jesus os levou ao alto da montanha com Simão Pedro.

— Quando acordei — ele disse —, Jesus estava todo de branco. Iluminado como uma tocha! Mal podia olhar para ele, tal a intensidade da luz. Ele falava com Moisés e outro... — Ele fez uma pausa como se hesitasse.

— Quem? Não pode estar insinuando...

Tiago olhou para João.

— O que foi que ele disse? Elias, não era?

João assentiu devagar, sua aparência muito séria.

— Sim. Foi isso mesmo. Elias.

Vários presentes menearam as cabeças, e todos se mostraram admirados com o relato. Outros perguntaram sobre o que eles conversavam.

— Não pude ouvir o que diziam — explicou Tiago —, mas ambos falavam com Jesus e ouviam quando ele respondia.

Mais cabeças se movendo de um lado para o outro.

— Eles ouviam, não é?

— Ouviam.

— Suponho que estivessem falando sobre vocês, os seguidores.

— Eles estavam tendo uma conversa muito séria — Tiago confirmou.

Seguimos nosso caminho para o sul, e o relato sobre milagres prosseguia. Sempre que um dos discípulos era chamado a falar e se via sem saber o que dizer, lá vinha um relato sobre um milagre qualquer. Jesus expulsara demônios; devolvera a sanidade a um louco; a visão a um cego, a audição a um surdo, pele limpa a um leproso, mobilidade a um aleijado, e até a vida a um cadáver. Eu não gostava daquilo. Achava tudo barato e exagerado e mentiroso, pouco convincente, mas eles falavam o que as pessoas queriam ouvir. Quando Jesus pregava, as multidões pediam milagres e ficavam desapontadas quando ele os recusava. Quando ele não estava presente, seus discípulos eram solicitados a falar sobre Jesus "operando" seus milagres.

— Dê-nos um milagre — era o grito que nos acompanhava a todos os lugares.

Certa vez, quando atravessamos a Judéia e seguíamos na direção de Samaria, nosso próximo ponto de encontro, eu estava em um vilarejo com Filipe e Bartolomeu, e um grupo que parecia saber pouco sobre nós, exceto que éramos liderados por um profeta que fazia "maravilhas", trouxe-nos um bebê que obviamente morreria em breve, se já não estava morto. Eles nos pediam para curá-lo. Eu disse que não podíamos fazer nada além de rezar pela criança e que seria melhor se eles levassem o bebê para dentro de casa, longe do sol escaldante do meio-dia. A mãe insistia em pedir nossa ajuda, e Filipe decidiu que devíamos fazer uma tentativa.

Eu me afastei. A mãe chorosa e apreensiva, a criança enferma e seu ventre inchado, sua cabeça caída e seus olhos sem brilho, os rostos esperançosos do pequeno grupo de pessoas, todos maltrapilhos, a disponibilidade de meus amigos discípulos e a facilidade com que decidiam "tentar um milagre", tudo aquilo foi demais para mim. Eu os deixei orando, tentando trazer aquela criança de volta à vida.

Quando voltamos a nos reunir nos limites da cidade, Filipe perguntou a Jesus por que ele podia realizar milagres, e nós, não. Jesus respondeu que nossa fé era insuficiente. Se realmente tivéssemos fé, ele continuou, poderíamos mover montanhas.

Quanto a meus sermões, eu não tinha a eloqüência espontânea de Jesus nem sua habilidade para extrair e projetar emoções do fundo de si mesmo. Concentrava-me em sua mensagem como ela era no início, aquela parte em que eu acreditava, ou que pelo menos podia considerar valiosa e, em alguns aspectos, consoladora e útil; e ela tinha seus efeitos modestos. As pessoas não bocejavam, não riam nem se afastavam.

— Ele é sincero — comentavam. — Acredita no que diz.

Mas eu também não conseguia mover multidões. Afinal, ninguém opera "conversões" munindo-se apenas de bom senso e caridade. As pessoas sentem que já acreditavam antes nas coisas que estão ouvindo, e estão certas, pelo menos com relação aos princípios. O que ocorre é que esses princípios são difíceis de seguir na prática.

Eu não tinha talento para criar parábolas como as que Jesus usava nem tinha paciência para elas. Tornavam a mensagem menos clara, e, eu sabia, essa era a parte principal de seu encanto. A obscuridade é misteriosa. Eu permitia que as pessoas entendessem a história cada uma à sua maneira distinta e que falassem sobre ela mais tarde. Os discípulos freqüentemente precisavam perguntar a Jesus o que ele quisera dizer com determinada parábola, e ele respondia usando outra. Minha preferência pessoal — um reflexo de meu temperamento — era sempre pela clareza. Gostava de ser compreendido sempre que possível.

Por isso preferia falar do incentivo que vira Jesus dando aos pobres, aos doentes e aos oprimidos, da esperança que ele proporcionava ao dizer que o sofrimento dessas pessoas teria um fim. E, se eu não podia acreditar que ele *ia mesmo* acabar, ao menos acreditava que *deveria* e que a força dos opressores um dia teria de ser alquebrada (mesmo que esse dia estivesse muito distante).

Também havia as questões em torno de crime e punição, vingança e perdão, guerra e paz. "Olho por olho, dente por dente", era esse o velho estilo, eu dizia a meus ouvintes. O novo caminho era aquele que Jesus abria para nós, e ele dizia que, se alguém bate em seu rosto, você deve oferecer a outra face para mais um tapa. Era muito difícil? Eu reconhecia que não era fácil, mas era algo que merecia nosso empenho, um ideal que combatia o impulso de agredir e contribuía para a construção da paz e da harmonia.

Dizia também que eles não deveriam tentar julgar os outros. O julgamento pertencia à consciência de cada um, apenas, e a Deus. Deveríamos tratar as outras pessoas exatamente como queríamos ser tratados por elas, com compaixão e compreensão. O irmão que nos enganava deveria ser perdoado, não sete vezes, mas setenta vezes sete. O perdão não devia ter limite.

Deveríamos amar família e amigos, mas deveríamos tentar amar a humanidade como um todo, mesmo nossos inimigos, reconhecendo em todos, próximos ou distantes, desconhecido ou parente, um irmão. Ou, pelo menos, um primo, um membro da família humana. Esse também não era um objetivo simples, fácil, mas, novamente, constituía um esforço digno de tentar.

A mensagem de Jesus, eu dizia, falava de esperança e confiança. Não deveríamos perguntar de onde viria a refeição do dia seguinte, mas ter fé na providência de Deus. "Peça e será atendido, bata e será recebido, procure e encontrará". Era isso que ele nos ensinava, seus discípulos. Dizer e acreditar. Enquanto tentava explicar essas coisas a meus ouvintes e notava que seus rostos se contorciam com o esforço da compreensão, eu me lembrava da multidão de rostos claros, abertos e crédulos que ouviam Jesus oferecer essas mesmas garantias. Tentava me explicar melhor, mesmo sabendo que *nem* todos que pediam seriam atendidos, que *nem* todos que procuravam encontrariam. Mas era aí que eu falhava. A "verdade" estava no orador, não no texto. Se era necessário explicar, onde estava a fé?

Nunca encerrava um desses sermões sentindo-me eufórico, ou certo de ter atingido grande sucesso. Em parte, por não ser um orador nato. Mas também (agora reconheço, quarenta anos mais tarde) porque a mensagem que eu tinha de transmitir era dele, não minha. Naquele tempo eu não havia me dedicado ao estudo de uma filosofia que pudesse ser a expressão de minha alma individual. Usava o que havia sido criado nos discursos dele e ainda podia falar em boa-fé. Era o simples e sincero Jesus de Nazaré que eu propunha àquela gente, meu amigo cão filósofo, meu bom companheiro de lutas nos campos de cevada e de longas conversas nas estradas da Galiléia, não o flagelo dos pecadores que agora caminhava maltrapilho para Jerusalém a fim de invocar a ira de Deus contra os assassinos de seu primo.

À medida que nos aproximávamos da cidade santa, íamos reunindo seguidores que desejavam estar lá para a Páscoa. Alguns já haviam traçado planos com esse propósito; outros inspiravam-se com sermões de Jesus e concluíam que era hora de ir.

Em Samaria, um rabino aproximou-se para ouvir o homem de quem todos estavam falando e convidá-lo para uma refeição. Jesus pregava na praça da cidade, acompanhado, naquele dia, pelos quatro pescadores, Simão Pedro e André, Tiago e João. Eu estava lá como mestre-de-cerimônias e guardião da bolsa, funções que, progressivamente, iam sendo atribuídas a mim. O rabino nos disse que seu nome era Levi e que ouvira muitas histórias sobre "o novo profeta".

— Espero que aceite meu convite — ele acrescentou. — Penso que é meu dever aprender sobre você diretamente de você, não por rumores e fofocas.

Sua atitude era admirável, e Jesus aceitou o convite de boa vontade, mas não esperava fazer do rabino um convertido. De fato, o homem tinha uma maneira de falar que sugeria sutil superioridade. Era polido, mas havia sempre um sorriso brincando nos cantos de sua boca e de seus olhos astutos. Não era um sorriso mal-humorado, mas algo que sugeria deboche, escárnio. Eu tive certeza de que as histórias que Levi ouvira sobre Jesus incluíam muitos milagres e curas por intervenção divina.

Chegamos na hora marcada e fomos levados a uma mesa posta em um pequeno pátio cercado por uma muralha. Dois amigos do rabino, um escriba e um homem de leis, já estavam sentados. Uma figueira se debruçava sobre a muralha e em direção à mesa, formando um toldo natural. Uma fonte jorrava por entre duas rochas para uma piscina natural, criando um cenário pacífico e acolhedor. Três ou quatro lamparinas de óleo queimavam em anéis de ferro presos às paredes, mas ainda havia luz no céu quando nós, nove homens, nos reunimos em torno da mesa. Criados nos serviram, e três mulheres, possivelmente esposa e filhas do rabino, trouxeram os pratos principais.

Notei vasilhas com água cobertas por toalhas deixadas sobre uma mesa secundária à sombra em um dos cantos do pátio, mas, como Jesus não as vira, ou as ignorava, segui seu exemplo e sentei-me no lugar a mim reservado.

A conversa começou amena e permaneceu assim durante os dois primeiros pratos da refeição. Eram vários os assuntos abordados, incluindo algumas questões da lei, que podiam ser armadilhas, mas, se fossem, Jesus as evitou sem nenhuma dificuldade. Em alguns momentos eu sentia o clima pendendo um pouco a seu favor, mas, na maioria do tempo, tinha consciência dos três homens bem-vestidos e sérios, nosso anfitrião e seus dois amigos, de um lado, e dos quatro pescadores malvestidos, com mãos calejadas e sotaque da Galiléia, do outro. Entre esses dois conjuntos, havia a velha associação Jesus e Judas, galileus bem-educados, também, tutorados por Andreas e, conseqüentemente, cientes como não estavam os pescadores do tom sutilmente superior adotado conosco. Que coisas inteligentes e engraçadas aqueles três diriam sobre nós quando partíssemos!

Foi quando a refeição chegou ao prato final, uma refrescante mistura de frutas, que nosso anfitrião, olhando para os dois amigos com um sorriso, disse a Jesus que ouvira "histórias em todos os lugares" sobre sua eloqüência, confirmadas pelo sermão que ele mesmo presenciara na praça do mercado horas antes, naquela tarde. Mas ele entendia que Jesus tinha outros poderes. Poderes ainda maiores.

— O poder não é meu — Jesus respondeu. — O poder está no mundo.

— Um poder suficiente para realizar maravilhas — insistiu Levi.

Jesus não respondeu.

— Milagres.

Jesus permaneceu em silêncio.

— Pode demonstrar esses poder para nós? Eu e meus amigos ficaríamos honrados...

Jesus o encarava com evidente desgosto.

— Não adoramos o mesmo Deus? Se precisa Dele, chame-O, e, se Ele ouvir suas preces, se enxergar suas necessidades, se souber que é merecedor, certamente Ele o ajudará.

— Talvez eu não mereça — Levi argumentou, sorrindo.

Jesus olhou para as próprias mãos.

Mas o rabino não desistiu.

— Não tenho o poder que as pessoas dizem existir em você. Não pode demonstrá-lo, para que possamos acreditar nele como — ele olhou para os pescadores — esses bons homens claramente acreditam?

O rosto de Jesus corou. Ele estava muito contrariado e só se continha com grande esforço.

— Não sou um artista! Sou um profeta!

— Um profeta que deixa de se lavar antes de comer?

Ficamos todos chocados. Levi atuava para uma platéia própria, mas, nesse momento, deve ter surpreendido até ele mesmo. Jesus levantou-se tão repentinamente que a cadeira caiu para trás e se chocou ruidosamente contra o piso de ladrilhos. Ele olhou para todos com ar severo, o rosto endurecido.

— Acha que não reparei nas suas estúpidas vasilhas e nas toalhas? Pensa que foi algum tipo de negligência?

— Sinto muito. Peço que me desculpe. Falei incorretamente.

Mas Jesus não se deteve diante do pedido de desculpas.

— Vocês, fariseus, são obcecados pela forma das coisas. Preferem a forma à essência. E, no entanto, acreditam, como eu, na vida eterna. Acham que vão poder se lavar e comer enquanto abrem caminho para o Céu? Acham que o Senhor vai preferir suas mãos limpas a essas? — Ele apontou para os punhos cerrados de Tiago e João, indícios claros da revolta que se apoderava do grupo. — São mãos calejadas pelo trabalho duro, mãos encardidas pela poeira da estrada. Pensam que copos e vasilhas limpas são mais importantes do que corações e mentes limpos? São hipócritas, ou simplesmente tolos?

Ele deu as costas aos três homens, movendo-se para a porta que levava à rua. Levi e seus amigos ficaram em silêncio, estupefatos. Eu fiz um sinal para meus quatro companheiros, indicando que também devíamos sair, e os conduzi até a porta, mas, no último momento, João se virou e, trêmulo de raiva, voltou sobre os próprios passos, passando por mim como um sopro de vento. Com um gesto violento, derrubou todas as vasilhas de água da mesa secundária. Houve um estrondo, e as vasilhas se quebraram, espalhando seu conteúdo em todas as direções.

> Por que eu fui
> naquela última
> aventura fatal?

> Foi para ver
> a história representada
> até um final?

> Ou porque
> eu havia desenvolvido um gosto
> pelo palco?

> Dele tomamos
> emprestados um brilho
> que nenhum de nós tinha sozinho.

Como é bom ser
aplaudido e admirado
por belas mulheres!

Como é arriscado atuar
como o guardião
do Filho de Deus!

CAPÍTULO 18

Lázaro, Maria e Marta esperavam por nós em Betânia, como muitos outros que sabiam de nossa chegada. Lázaro, "erguido dos mortos", como as pessoas diziam umas às outras (alguns por acreditar, outros com ironia), agora pregava a mensagem de Jesus e não se cansava de divulgar seus feitos. As irmãs, cada uma à sua maneira, haviam percorrido vilarejos da região anunciando que o profeta de Nazaré logo estaria passando por ali a caminho de Jerusalém para a Páscoa.

Levávamos conosco, ou em nosso rastro, uma crescente multidão de entusiastas cuja fé dava força e coragem a Jesus e a todos os discípulos, exceto um. Tomé não duvidava. Não naquela época. Nem Simão Pedro o negava. E se Judas o traía era só, como já disse, por não partilhar daquele sentimento inabalável de euforia de seus seguidores, a confiança de que nosso líder triunfaria na cidade santa e que, como conseqüência, um novo amanhecer ocorreria para Israel. Éramos como um circo chegando à cidade. O circo do Filho do Homem.

Naquela noite houve um banquete para cerca de duas dúzias de pessoas: Jesus e os doze; Maria Madalena e três ou quatro mulheres que haviam passado a nos seguir; e Lázaro, Maria e Marta com alguns de seus amigos mais próximos e trabalhadores da causa em Betânia e Betfagé. A refeição aconteceu na grande tenda, no campo onde muitos outros acampavam, onde comiam em torno de fogueiras e cantavam, conversavam, oravam e dançavam. Eu não dizia nada sobre meus receios e minhas dúvidas e me esforçava muito (com algum sucesso e a ajuda do vinho) para superá-los e conquistar a fé. Jesus estava feliz como no início de sua vida de profeta e pregador, e essa felicidade emanava dele como um raio de luz brilhante, envolvendo todos nós. Era como se a porção de confiança nele, o remédio de que Jesus tanto necessitava, fosse suficiente por esse breve momento.

Ele era só segurança, e eu já não duvidava de que, apesar de vago e evasivo às vezes, ele agora acreditava mesmo ser o Messias prometido e enviado para salvar o povo escolhido da opressão, da pobreza do pecado e, finalmente — mais importante que tudo —, da própria morte. Há quanto tempo isso estava claro em seu discurso? Por quanto tempo eu me mantivera cego para isso? Ou eu não havia percebido que ele formatava as próprias afirmações considerando aquilo que julgava cada um de nós capaz de aceitar? São essas as perguntas que faço a mim mesmo agora, e não encontro respostas certas. Em minhas lembranças, tenho certeza de que consegui reunir todas as coisas que estavam espalhadas pelo tempo. Sei que houve momentos nos quais, envolvido pelo entusiasmo de tudo aquilo, senti algo muito próximo do que se pode chamar de fé. Mas o que cresceu na mesma proporção do entusiasmo, o que surgiu também naquele momento em que nascia minha fé hesitante, foi o medo; medo por mim mesmo, sim, mas muito medo por Jesus. Frio, eficiente e brutal, o poder romano raramente estava longe de nós. Mesmo quando não o víamos, pelo menos para mim ele se fazia presente. Em pensamentos.

Jesus nos ensinou a rezar. A oração começava: "Pai Nosso que estais no Céu..." Agora, em sua oração, "*nosso* Pai" passara a ser "*meu* Pai".

— A casa de Meu Pai é infinita. Há espaço nela para todos que desejam paz e harmonia e a alegria da vida após a morte. Mas *só há um caminho para ela* e é *através de mim*.

Essa se tornara sua mensagem.

— Eu sou a verdade, o caminho e a luz.

Eu a ouvia claramente agora, estava assustado com ela, e me perguntava se ele havia enlouquecido, uma loucura alimentada pela adulação das massas que pareciam acreditar nisso, assim como ele queria que nós, seus discípulos, acreditássemos, com fervor, incondicionalmente, sem razão nem lógica.

Sua confiança crescia, e junto com ela aumentava também a ira, como se a certeza de ser realmente o Messias justificasse a raiva e a frustração que ele experimentava por aqueles que olhavam dentro de si mesmos e encontravam apenas dúvida ou incredulidade. A ira não mais se encontrava reprimida e contida. Era um cão de guarda liberto de sua coleira. Para os ouvintes, ele desenhava a imagem desses incrédulos queimando no inferno, chorando tarde demais, implorando pelo perdão do Senhor.

Ele vivia em estado de exaltação. Por intermédio dele, Jesus garantia, a antiga ordem seria destruída, os pecadores seriam punidos, os justos viveriam para sempre à luz da presença divina. Já falei sobre alguns de meus temores, mas havia outro, um medo que se ocultava nas sombras de mim mesmo e aparecia à noite para torturar-me. Supondo que tudo que ele dizia, tudo que afirmava ser, fosse verdade, eu, com meus equívocos, minhas ansiedades e minhas falhas de fé, seria merecedor de um pequeno pedaço do Céu? Ou eu era aquele entre os doze destinado a passar a eternidade gritando e chorando e rangendo os dentes enquanto reconhecia meus erros no inferno?

Na manhã de nosso segundo dia em Betânia, Jesus mandou Filipe e André buscarem um jumento que havia sido prometido. Espalhara-se a notícia de que naquele dia ele faria sua entrada em Jerusalém, e logo multidões se formaram, nossa gente da Galiléia, pessoas de Betânia e Betfagé, e finalmente, à medida que nos aproximávamos de fato de Jerusalém, gente da cidade que ouvira falar do profeta e queria vê-lo. O sentimento de excitação crescia. Havia uma revolta subjacente, um sentimento surdo que poderia explodir entre os judeus a qualquer momento, revolta contra o poder romano que nos oprimia, e contra o poder judeu, real e religioso, que servia ao romano. Nada disso era declarado abertamente — nem precisava. Todos nós sabíamos e sentíamos, eu tanto quanto os outros. Jesus ousava representar uma profecia sobre o salvador, o libertador do povo que chegava não em uma montaria nobre, mas sobre um humilde jumento.

As pessoas aplaudiam, acenavam de balcões e galerias, sacudiam ramos de palmeiras, estendendo-os no chão das ruas ao lado de belas túnicas e vestidos novos, e o filhote de jumento, ainda não inteiramente crescido, passava por cima deles, rompendo vez por outra em um trote mais alegre, como se soubesse estar transportando o Messias para a cidade santa. Meninos corriam acompanhando a passagem de Jesus, gritando e acenando. Vendedores ofereciam presentes, frutas e flores. Ouvi uma mulher gritar que Jesus era o rei de Israel chegando para reclamar seu trono, e outra, mais próxima, respondeu que, nesse caso, ela era a rainha de Sabá. Era um protesto bem-humorado, inconseqüente, lançado em um tom que sugeria diversão. Uns acreditavam, outros, não, mas, de qualquer maneira, a visita do agora famoso profeta e fazedor de milagres da Galiléia era bem-vinda.

Então, quando contornamos o monte das Oliveiras pela estrada ladeada de ciprestes e descemos, além do Jardim do Getsêmani, para o vale do Cedrom, lá estava ela, a cidade que eu não via desde a infância, com suas muralhas altas, divisórias que lhe conferiam aquele ar de fortaleza e palácio, com suas torres e suas abóbadas, grandes portões e passagens sinuosas. Foi um momento de triunfo, e ainda me lembro dele com um arrepio de excitação. Meus medos desapareceram por um dia. Que importância havia se ele era o Filho de Deus ou o filho de José, o carpinteiro? Ele era Jesus de Nazaré prometendo uma *nova* Jerusalém, e o povo o acolhia com entusiasmo.

Dentro das muralhas da cidade, além do portão oriental, o jumento foi deixado aos cuidados de um menino que deveria esperar nossa volta, e nós subimos uma escada muito alta para um pátio no qual fomos recebidos com certa frieza por uma delegação de altos sacerdotes e escribas do Templo. Eles fingiam um respeito que, tenho certeza, não sentiam, mas tomavam cuidado para não ofender alguém que chegava cercado de tão intensa demonstração de apoio popular. As pessoas, ali como em todos os lugares, tornavam-se poderosas se agissem em conjunto. Era melhor não confrontá-las abertamente, a menos que se tivesse certeza do apoio romano, e, como os romanos tendiam a ser indiferentes quando as discordâncias entre judeus se transformavam em brigas de fato, as autoridades do Templo não podiam contar com essa proteção.

Assim, tivemos parábolas de Jesus e desafios dos fariseus, uma espécie de disputa preliminar enquanto cada um dos lados estudava o terreno adversário. Quando um dos altos sacerdotes, apoiado por seus confrades, pediu a Jesus para silenciar seus seguidores, cujo barulho dificultava o debate, Jesus se negou a atendê-lo.

— Se meus amigos calassem — ele disse —, as pedras gritariam.

Nesse momento um grupo de crianças de Betânia, orientadas por Lázaro, que cuidava delas, começou a aplaudir e gritar que Jesus era o Filho de Davi.

— Jesus, Filho de Davi — elas entoavam em uníssono. — Jesus, rei dos judeus. — Lázaro marcava o tempo e o ritmo como um maestro. — Jesus, Filho de Davi. Jesus, rei dos judeus.

O alto sacerdote estava chocado. Aquilo era blasfêmia! Ele protestou mais uma vez.

— Não ouve o que eles dizem?

Jesus sorriu. Sim, ele os ouvia. E o alto sacerdote não havia lido as escrituras que diziam que, para ouvir o elogio perfeito, era preciso escutar o choro de um bebê e o canto de crianças?

Os que estavam mais próximos iam passando para os outros o que Jesus dizia. Essa última resposta fez a multidão aplaudir com euforia.

O alto sacerdote franziu a testa.

— Mas é, então, o que essas pessoas dizem? Afirma ser o que elas estão dizendo que é?

Jesus não respondeu à questão. Em vez disso, formulou outra.

— Quando meu primo João, assassinado, batizava seus seguidores nas águas do Jordão, a bênção vinha de Deus?

Era uma pergunta capciosa. Dizer que a bênção de João não era de Deus poderia enfurecer aquela multidão volátil. No entanto, confirmar que se tratava da mesma coisa seria reconhecer que esses profetas auto-aclamados tinham poderes semelhantes, se não maiores, aos dos sacerdotes e do Templo. A resposta do chefe religioso foi evasiva.

— Essa é uma questão a que só o Senhor pode responder.

— Então, da mesma maneira, só o Senhor pode dizer com que autoridade prego minha mensagem ao mundo.

Os sacerdotes teriam apreciado o prosseguimento do debate, mas Jesus se virou para a multidão de seguidores e elevou a voz. Ele contou uma história sobre um homem, proprietário de terras, que plantara uma videira e deixara arrendatários cuidando da plantação. Esses arrendatários roubaram a colheita, e, quando os criados foram buscar o dinheiro correspondente ao lucro do proprietário, foram espancados e expulsos dali. Quando o proprietário enviou seu filho para receber o dinheiro que lhe era devido, o filho foi assassinado.

Como sempre acontecia quando Jesus falava por parábolas, havia incerteza sobre o significado de suas palavras. Aos poucos, porém, ficou claro, pelo menos para alguns de nós, que o senhor de terras era Deus, os arrendatários ladrões eram os sacerdotes, e os bons criados eram os profetas de Israel. Mas quem seria o filho assassinado? Quem mais, senão o próprio Jesus? Mais uma vez, ele parecia prever a própria morte. Já havia notado essa tendência nas últimas semanas. Quanto mais ele acreditava ser um enviado divino, mais prontamente aceitava, e até acolhia, que sua vida terminaria em assassinato, execução. Era uma aceitação que emanava dele em momentos de euforia pública e parecia deixá-lo, depois, confuso e deprimido.

Naquela noite, quando voltávamos a Betânia, senti que sua disposição havia mudado. A excitação do início do dia chegara ao ponto máximo quando a multidão o conduzira ao interior da cidade. Agora seu rosto se mostrava sombrio. Ele ainda estava exaltado, mas a alegria se transformara em raiva.

Antes de entrarmos no vilarejo, o jumento foi devolvido ao dono, e seguimos a pé pelo campo ainda tomado por seguidores que pretendiam passar mais uma ou duas noites esperando pela Páscoa. Jesus, na frente do grupo, marchava como um general por seu campo, tão preocupado com pensamentos de batalhas futuras que não notava os soldados que o cercavam. Havia uma figueira no jardim atrás da casa. Ao vê-la, Jesus declarou-se faminto e manifestou sua intenção de comer o fruto.

Era primavera, época imprópria para figos ou qualquer outra fruta, mas ele devia estar exausto e confuso. Por isso começou a examinar os galhos, nos quais encontrou apenas folhas. Esperei que o reconhecimento do erro se fizesse notável em sua expressão e que ele risse de si mesmo, mas não... Jesus fervia de raiva. A árvore o desapontara. Seria punida. Ele a amaldiçoou. Que nunca mais desse frutos! *Que morresse!*

Olhei para meus companheiros discípulos. Todos evitavam trocar olhares uns com os outros. Ninguém falava. Jesus continuou andando, ainda furioso, e nós o seguimos, um bando infeliz encerrando o que deveria ter sido um dia de triunfo.

Em casa, ele não conseguiu relaxar nem descansar. Marta havia preparado uma refeição para todos nós, com um prato especial para ele, mas Jesus comeu pouco e não demonstrou gratidão. Maria sentou-se a seus pés esperando por palavras de sabedoria, mas ele a ignorou. Lázaro mencionou o contingente de crianças, esperando reconhecimento pela maneira como as organizara, mas Jesus nada disse. Eu o chamei de lado e disse que seu trabalho era muito apreciado, não só o que havia feito naquele dia, mas antes, preparando nossa chegada.

Lázaro sorriu para mim com certa tristeza.

— Fico feliz se o Mestre está satisfeito — disse. Mas sua voz parecia ecoar do próprio sepulcro. Agora eu entendia por que as pessoas acreditavam que ele havia de fato sido levantado dos mortos.

O que faríamos com Jesus? Eu o observava atentamente havia semanas e sabia que sua maior necessidade nesse momento, o que ele realmente queria, era o amor das multidões, não o de um ou outro indivíduo. Ele precisava da segurança dos números, da chance de demonstrar seu poder a si mesmo, exibindo-o para um grande grupo. A multidão se tornara seu espelho. Eu temia fazer uma sugestão direta que, acreditava, ele poderia rejeitar, mas, finalmente, como se a recebesse pela silenciosa transmissão de idéias de que compartilhávamos desde a infância, ele se levantou de um salto, respondendo como se eu houvesse falado, dizendo que eu devia sair e acender tochas no campo e reunir o povo.

Ele também chamou Maria Madalena, quase tropeçando na outra Maria enquanto se locomovia, sem notar seus olhos de adoração e sua expressão de dor.

— Acompanhe Judas. Organizem tudo lá fora. Há coisas que devem ser ditas.

Naquela noite, com tochas ardendo e a exaltação e o terror dos fiéis pairando no ar, Jesus pregou com extraordinária ferocidade. Começou atacando sacerdotes e escribas, especialmente aqueles que pertenciam à doutrina dos fariseus. Eram tolos, hipócritas, parasitas. Eles e sua laia eram os assassinos dos profetas de Israel. Eram serpentes, víboras que não escapariam do fogo do inferno. O Templo constituía a casa do Senhor na terra, mas, maculado pela corrupção dos sacerdotes e abandonado pelo Espírito Santo, não passava de um monte de pedras. Pedras que seriam derrubadas. Não estava distante o dia em que isso aconteceria. Não restaria pedra sobre pedra.

Esse seria o terrível dia (ele prosseguiu) que pressagiaria o fim dos tempos. Nação se ergueria contra nação, reino contra reino. Nas nações e nos reinos haveria dissensão, rebelião, guerra civil. Irmão trairia irmão, pai trairia filho, filhos se rebelariam contra os pais e os levariam à morte. Haveria fome e terremotos. Haveria aquela *abominação de desolação* mencionada pelo profeta Daniel.

— *Preparem-se.* — A voz dele ecoava pelo campo e parecia sacudir os ciprestes, fazendo voar morcegos que cortavam a escuridão em uma chuva negra metros acima de nossa cabeça. — Preparem-se, meus amigos. Quando esse dia chegar, e ele virá ainda nesta geração, que o homem que estiver no telhado não desça à casa para encontrar lá o horror. Que o homem que estiver no campo não volte para casa e para sua família. Que fuja imediatamente, que escape para as montanhas da Judéia, e reze para não ser inverno, porque será um inverno como jamais houve outro.

Ele olhou para nós em silêncio. As tochas atrás dele tremulavam à brisa suave, de forma que, por um momento, foi como se seu corpo ardesse com uma chama dourada. A luz desapareceu, depois brilhou novamente.

— Eu lhes digo a verdade quando afirmo, aquela que esperar um filho nesse dia, aquela que amamentar um filho nesse dia, vai desejar ter sido estéril. O sol vai gerar pouca luz e a lua não brilhará. As estrelas cairão como chuva quente, o céu vai tremer, e depois, meus amigos, depois...

Com os punhos cerrados pressionados contra os quadris, o peito expandido e o rosto erguido, com a mandíbula tensa e os ombros eretos, ele parecia ter crescido em estatura, e agora era como uma torre se debruçando sobre nós. A multidão se encontrava tomada pelo medo, e naquele momento eu fui um deles. Parei de respirar.

— Então, meus amigos, os que viverem verão o Filho do Homem surgindo de trás das nuvens em toda a sua glória, acompanhado por seus anjos, que reunirão os eleitos. Imaginem que haverá dois de vocês trabalhando em um campo. Os anjos virão, e um será o escolhido. O outro será deixado para trás. Duas mulheres estarão moendo milho no moinho. Os anjos virão, e uma delas será escolhida. A outra será deixada para trás. Céu e terra desaparecerão, mas minhas palavras, que são a verdade, permanecerão. Preparem-se, meus amigos. E esperem por isso... *logo*. Vigiem e esperem, lembrando o que eu disse. Só há um caminho para o Pai no Céu. *Eu sou o caminho.*

Acredite em mim
e reserve seu assento
para a Glória do Céu —

196

rejeite e morra
para tudo
exceto para o tormento eterno —

o velho e infalível
truque da cenoura e da vara,
ele o usava

como um mestre —
Jesus, meu brilhante
amigo, que nos mantinha

temerosos, submissos,
como são os homens, ao
chicote da linguagem.

Mas o poder
tem um preço e
ele ainda teria de pagar.

CAPÍTULO 19

Naquela noite estávamos todos inquietos. Jesus andava de um lado para o outro, ainda perturbado e tenso pelos efeitos da própria oratória. Pouco depois da meia-noite, Marta se ofereceu para preparar uma refeição, ou providenciar leite e frutas, e, quando ele recusou a oferta dizendo-se nauseado com a idéia de comer alguma coisa, Maria sugeriu uma "breve caminhada ao luar". A proposta foi recebida com evidente incompreensão, como se ela houvesse falado em idioma desconhecido, e as duas irmãs se retiraram para o quarto que dividiam, desapontadas e, provavelmente, ofendidas também. Lázaro estava sentado em uma cadeira e se inclinou para frente, apoiando os cotovelos nos joelhos, unindo as mãos em uma postura que traía ansiedade. Ele observava Jesus, que continuava andando de um lado para o outro, olhando para ele como um cão fidelíssimo, mas incapaz de sugerir alguma coisa, temendo falar. De um dos aposentos onde nós, os discípulos, dormíamos juntos, vinha o ronco dos dois irmãos que Jesus chamava de Filhos do Trovão.

Nas primeiras horas da manhã fui despertado de um sono superficial pela voz de Maria Madalena, que falava com Jesus em um tom relaxante e cantava, suavemente, uma das canções da região da Galiléia, que ele e eu conhecêramos ainda meninos. Eu me levantei e fui para o jardim. Quando voltei, ele estava deitado de bruços, e ela massageava seus ombros enquanto cantava. Não sei se a canção funcionou para ele, mas surtiu efeito em mim, e por fim adormeci profundamente.

Fui despertado por Tiago, que me sacudia, aflito. Era manhã clara, e tudo estava em movimento à minha volta. Pessoas se locomoviam pela casa, gritos e barulho de atribulação vinham do jardim e do campo além dele. Fui informado de que retornaríamos à cidade, todos juntos, reunindo seguidores no caminho. Jesus havia recebido uma espécie de instrução visionária, Tiago relatou, e agora ele sabia que deveria voltar e deixar sua marca na cidade santa.

— Ontem foi só conversa — Tiago contou, repetindo o que ouvira. — Hoje é dia de ação.

Quis saber a que ele se referia, que ação seria essa.

— Vamos descobrir em breve, não é? — ele respondeu com aquela voz especial, um tom crítico e artificial reservado para mim desde que eu caíra em desgraça entre os membros do grupo. Não me surpreenderia se ele me dissesse: "Não faça perguntas, e não ouvirá mentiras".

No jardim, alguns de meus companheiros discípulos olhavam para a figueira, tentando concluir se ela estava ou não morrendo. Todos foram unânimes em afirmar que as folhas estavam caindo e que ela precisava de água, mas só agora era assim, ou seu estado havia sido o mesmo no dia anterior? Simão Pedro, João e Bartolomeu estavam certos de que a planta já se curvava sob o peso da maldição de Jesus. Tomé disse não poder ter certeza. Mateus pensava que talvez não houvesse mudança "até agora", ele acrescentou cauteloso, temendo ser acusado de falta de fé.

Naquela manhã Jesus partiu o pão para nós, abençoou-o, recitou a prece de graças e nos entregou a cada um seu pedaço. Foi um momento suspenso no tempo, um instante em que seu misterioso poder sobre mim, sobre cada um de nós, reafirmou-se — e eu o senti com força ainda maior, porque antes e depois houve grande urgência. Comemos em silêncio, passando a jarra de leite de cabra e orando juntos: "Pai Nosso que estais no Céu, santificado seja o vosso nome...". A prece era uma rotina, mas parecia repleta de significados não declarados que eram específicos a nosso grupo e àquele momento.

A lembrança que tenho depois disso é a da multidão reunida no campo, além dele e na estrada, os da frente incentivando os de trás a manter o ritmo; o sentimento, tão diferente daquele do dia anterior, desta vez mais importante, era de que não tínhamos tempo a perder. A véspera havia consistido na entrada triunfal e em uma acolhida calorosa; hoje era mais um assalto. Em seu sermão na noite anterior, Jesus havia falado em demolir o Templo, e parecia que a demolição estava por começar. Gente da cidade se debruçava nas janelas para espiar, mas já não havia a atmosfera festiva do dia anterior. Agora os olhares eram ansiosos. Crianças que tinham corrido conosco, gritando e aplaudindo, hoje permaneciam silenciosas, contidas pelas mães. E na frente ia Jesus, sério, formidável... o profeta auto-aclamado vindo das províncias para dizer ao povo da cidade o que era preciso saber.

Percorremos a mesma estrada, contornando o monte das Oliveiras e passando pelo mesmo portão a leste; porém, dessa vez, seguindo Jesus (que podia de fato estar sob instruções divinas, tal a firmeza de seus passos e sua postura determinada), subimos a escada para o vasto pátio do Templo, um lugar que eu lembrava de uma visita feita na infância.

O lugar ainda era como antes, infestado pelo cheiro de fumaça de madeira, sangue derramado, fezes e carne dilacerada em intermináveis sacrifícios. Havia os mesmos ruídos, balidos, piados e urros de animais sacrificados, os mesmos gritos dos trocadores de dinheiro anunciando suas cotações, a mesma conversa dos vendedores, e, vindo de algum lugar diretamente acima, o canto solene de um coro de levitas.

Para as pessoas cujo dia estávamos prestes a perturbar, devíamos parecer apenas um bando de maltrapilhos guiados por um pregador igualmente malvestido e sujo. A cena naquele pátio não era solene nem bela, mas possuía um sistema e uma ordem próprios. Aquele era o lugar onde divino e humano se encontravam e negociavam, onde o homem reconhecia pecados e oferecia dádivas de conciliação, onde Deus aceitava o sacrifício e concedia a absolvição. Aquele era o Templo cuja prática Jesus havia condenado em seus ensinamentos, e agora ele estava determinado a destruí-la.

Ele avançava cheio de energia, tomado por uma confiança inabalável. Eu caminhava atrás de nosso guia, porém sem nenhuma confiança, assustado com a perspectiva de violência, preocupado com as conseqüências.

Os primeiros objetos de sua ira foram as barracas e as mesas dos trocadores de dinheiro. Sem desperdiçar palavras, ele agarrou o canto de uma das mesas e a arrancou das dobradiças que a prendiam ao cavalete, jogando-a no chão com assustador estrondo. Seus seguidores o aplaudiram, arremessando bancos e empurrando pedintes e vendedores que lhe cruzavam o caminho, chutando tudo que encontravam pela frente. Moedas de todos os tipos rolavam pelas pedras em todas as direções. Pedaços de papel registrando transações se espalhavam, levados pelo vento, pisoteados por pés irados. Havia gritos de ultraje. As pessoas corriam, abaixavam-se, tentando recolher todo o dinheiro que conseguiam recuperar, fossem as moedas delas mesmas ou de outras pessoas, não tinha importância. As brigas proliferavam.

— Esse dinheiro era meu!

— Não, era meu!

Jesus corria de uma mesa a outra, virando-as, jogando-as no chão.

— A casa de meu Pai era lugar de oração — ele gritava. — E vocês a transformaram em um covil de ladrões!

— Covil de ladrões — repetiam seus seguidores. — *Covil de ladrões*. COVIL DE LADRÕES!

Havia uma fileira de barracas vendendo pombos e pequenos animais para os sacrifícios, e, com a ajuda dos pescadores, essas barracas também foram derrubadas. Pombos, libertos de suas gaiolas, voavam para o ar enfumaçado. Cordeiros e crianças corriam de um lado para o outro no meio da multidão, apavorados e perdidos, provocando caos e ruído ensurdecedor.

Não tomei parte daquele tumulto. Durante aqueles minutos, todos os meus pensamentos estavam voltados para uma questão que me parecia premente: como tirar Jesus dali e livrá-lo da prisão.

Já podia ver três ou quatro guardas do Templo tentando abrir caminho até nós, sendo retidos e empurrados pela multidão que arrastávamos com nosso deslocamento. Havia também um grupo de jovens levitas descendo uma escada de pedra, olhando-nos de cima, da metade da escada, trocando palavras que pareciam urgentes. Um subiu a escada correndo, outro desceu com a evidente intenção de buscar ajuda na entrada principal. Tínhamos ouvido que as autoridades do Templo jamais convidariam os soldados romanos a entrar, mas eles podiam considerar a desordem séria o bastante para justificar a presença de uma milícia de Herodes. Havia um grupamento bem perto dali.

Agarrei Jesus pelo braço. Ele arfava, tão ofegante, que se apoiou em mim enquanto se recuperava.

— Trabalho feito — gritei, tentando me mostrar tão entusiasmado quanto ele julgaria apropriado. — Agora temos de sair daqui antes que eles tragam as tropas para prendê-lo.

Jesus franziu a testa, aparentemente incerto.

— Eles virão nos prender. Todos nós — repeti.

Ele assentiu, ainda respirando com dificuldade.

Não esperei que ele mudasse de idéia. Segurei Simão Pedro, depois, André.

— Jesus diz que é hora de sairmos daqui. Antes da chegada da milícia. Corram para os portões.

Saímos juntos, os treze formando uma tropa coesa batendo em retirada. Nossos seguidores, aqueles que já não estavam fugindo, vinham atrás de nós, congestionando as ruas ao sul do Templo. Quando chegamos ao Jardim do Getsêmani, havia apenas alguns poucos ainda conosco. O restante desaparecera buscando abrigo, segurança, sabendo que os sacerdotes seriam implacáveis e que Herodes Antipas era duro ao tratar da ordem pública.

De volta a Betânia, Jesus recolheu-se. Procurou conforto na companhia de Maria Madalena, que foi se sentar com ele no jardim, à sombra de uma parreira, e segurou-lhe a mão. Eu me juntei aos dois nesse local.

— Devemos voltar para nossa região — opinei com franqueza e sem rodeios. — Você não está seguro aqui. O povo da cidade se interessou por você, mas isso foi ontem. Não vai durar...

— Viemos para a Páscoa — lembrou Jesus.

Olhei para Maria. Seu rosto era calmo, sensato, confiável.

— Fale com ele — pedi.

Ela sorriu e me encarou com um olhar bem-humorado.

— Falar? O que devo falar com Jesus? Acha que sabemos de alguma coisa que ele desconhece?

Achei que era meu dever persistir.

— Se partirmos agora, chegaremos a Jericó ainda nesta noite.

Ele meneou a cabeça e olhou para o outro lado.

Entrei na casa tentando encontrar alguém que me apoiasse.

— Deixe Jesus decidir — disse Filipe.

Todos os outros concordaram com ele, tomando minha ansiedade e preocupação como outros sinais de minha falta de fé.

Jesus entrou, retornando do jardim.

— Quanto ainda resta na bolsa?

Eu a tirei da parte inferior de minha cama de enrolar e despejei seu conteúdo no chão. Jesus olhou para as moedas de prata. Todos nós olhamos, contando-as. Havia trinta.

— Use-as. Todas elas — ele ordenou.

Eu deveria reservar um aposento em uma taverna e encomendar uma refeição generosa, adequada ao tempo de Páscoa, e também deveria providenciar camas, que seriam caras, porque a cidade estava lotada de visitantes para as comemorações. A ceia seria apenas para Jesus e os doze. Se havia alguma chance de enfrentarmos problemas, prisões, punições, ele preferia não envolver mais ninguém nisso. Nem Maria Madalena, nem Lázaro e suas irmãs, nem o povo que o apoiava e ajudava em Betânia.

— Agora vá — ele decretou com urgência. Hesitei, e Jesus me encarou com firmeza por alguns instantes. — Se prefere fugir daqui...

Era o que eu queria, mas sabia que não podia seguir minha vontade.

— Somente se formos todos juntos.

— Não. O trabalho aqui deve ser concluído.

Naquela noite nós nos sentamos em uma das melhores tavernas de Jerusalém, para a refeição que Ptolomeu e outros membros da doutrina de Jesus que passaram por Sidom sempre chamavam de "Última Ceia" em seus sermões. Havia certamente uma atmosfera fatalista pairando sobre o evento, embora nenhum de nós, exceto, talvez, Jesus, soubesse que aquela seria nossa última reunião. De fato, eu lembro, antes de nos sentarmos e sermos tomados por aquela disposição mais séria e grave, havia piada e riso, como os que existiram nos tempos mais felizes. Os irmãos pescadores se gabavam do dano que haviam causado no Templo, comentando como havia sido divertido "bater as cabeças da cidade umas contra as outras". Mateus contou uma de suas piadas sem graça de quando vivia na estrada como coletor de impostos. Tomé protestou, dizendo que essa era uma atitude imprópria para o tempo de Páscoa. Todos olharam para Jesus, esperando seu veredicto, e ele fingiu, com um sorriso de pura provocação, não entender por que todos olhavam em sua direção. Bartolomeu, que havia desaparecido desde que deixáramos o Templo, chegou atrasado e ofegante, usando um broche que não tínhamos visto antes, e nós o provocamos sobre seu mais novo amigo, um jovem ourives de Betfagé.

Mas ele trouxe notícias que marcaram o fim das brincadeiras. Procurando por nós, Bartolomeu tinha retornado à casa de Lázaro e suas irmãs. A milícia de Herodes e os guardas do Templo já haviam passado por lá, exigindo a presença de Jesus. Eles revistaram a casa, arrombando portas, espalhando objetos e utensílios que iam jogando em todas as direções. Lázaro disse a eles que Jesus e seus discípulos estavam a caminho da Galiléia, mas não podia afirmar com certeza se a versão encontrara credibilidade.

Olhei — e acho que todos olharam — para Jesus, esperando alguma resposta, uma reação à notícia. Não houve nenhuma. Apenas aceitação. Tudo transcorria de acordo com o plano de Deus.

A refeição consistia em cordeiro temperado com as ervas prescritas. Mas, antes, Jesus partiu o pão e nos deu um copo de vinho do qual cada um de nós deveria beber um gole, passando-o adiante. Ele estava na ponta da mesa e falava com uma tristeza que exigia nossa atenção. Quando não mais estivesse conosco, ele dizia, deveríamos fazer exatamente o que ele fazia agora. Partiríamos o pão e dividiríamos o vinho como um sacramento sagrado. O pão seria seu corpo; o vinho, seu sangue.

Olhei em volta em busca de algum sinal de alarme de meus companheiros, porque eu estava apavorado. Não havia qualquer sinal. Sua bela voz, tão firme, tão exaltada, os mantinha cativos, possuídos, e notei que era o único ali que não acreditava estar na presença do divino. No passado existiram dúvidas e incertezas, mas nesse momento, aparentemente, não havia nenhuma. Olhos fechados, ou voltados para o alto, ou vertendo lágrimas, ou simplesmente fixos (como os de Bartolomeu) e cheios de amor e confiança em nosso líder — todos, cada um à sua maneira, contavam a mesma história. Um júri de seus pares emitia um veredicto favorável, onze a um a seu favor. Jesus de Nazaré, eles afirmavam, era o Filho de Deus.

Durante anos, o que Jesus nos disse naquela noite ficou gravado em minha memória, assim como teria ficado se eu fosse um dos crentes. Todo o fogo e a escuridão tinham desaparecido de seu discurso, substituídos pelo charme e pela doçura que me haviam convencido a deixar Nazaré e viajar com eles pelas estradas. Seus pensamentos agora, como naqueles dias do início, eram pelos pobres, infelizes, pelos escravizados, pelos fracos. Seu tempo, eles nos assegurava, estava próximo. A raiva e a ira, as promessas de terríveis eventos e punição individual, as chamas do inferno, a separação do joio e do trigo, o choro e o ranger de dentes — tudo se dissolvia em uma mensagem de esperança e conforto. Ele era um de nós, Jesus nos dizia, igual a nós, não nosso chefe. Ou, se devia haver sempre senhores e servos, ele preferia que o víssemos como nosso servo. Ele iria por nós, mas só ao Pai, para preparar um lugar para nós e para todos que acreditavam nele. Não devíamos nos perturbar com o que aconteceria com ele nos próximos dias, mas aceitar que era tudo pelo melhor, que os mortos renasciam para a vida eterna e o que era inquietante e obscuro se tornaria claro com o tempo. Íamos perdê-lo, mas em pouco tempo o veríamos novamente vivo e bem, caminhando pela terra com passos radiantes. Haveria dor, mas ela se transformaria em felicidade e celebração. A dor seria a dor de um parto, e a alegria seria a alegria de uma nova vida. O Pai nos amava por termos amado o Filho, e por causa desse amor nossas preces seriam atendidas e teríamos nossa recompensa. Teríamos nossos momentos de fraqueza, quando a fé poderia fraquejar. Um de nós até negaria ser discípulo; outro trairia a confiança existente entre nós. Tais coisas, se acontecessem, não deveriam anular nossa fé. Éramos, cada um de nós humanos e, portanto, passíveis de erros e fracassos, mas acreditávamos nele, e era isso que importava. A fé constituía a chave para o Reino, e, estando ali naquela noite, cada um de nós provava que possuía a chave.

Jesus estava enganado nisso. Eu sentia o velho carinho por ele, meu amigo, e uma admiração por sua oratória, mas, como discípulo, eu fracassava. Fracassava, pois não acreditava que ele era o divino Messias. Se ele estava decidido, como parecia estar, a não fugir, a morrer, até, eu sabia que nunca mais o veria, nem como homem, nem como Filho do Homem.

Eu não o trairia, mas não tinha aquilo que ele gostava de chamar de a chave.

       Imagine que seu
       amigo insiste
       em que você deve comer seu corpo

       e beber seu
       sangue porque ele está
       a caminho do céu —

mas seus
outros amigos parecem
aceitar o que ele diz

sem questionar —
e há um sentimento de
reverência, uma

imobilidade, como se
as próprias estrelas
prendessem o fôlego —

e você sabe
que em algum lugar a cruz e
os pregos devem estar esperando...

Você vai entender
como isso vive comigo
como um sonho

sombrio, um pesadelo
exaltado, que nunca
será expugnado.

CAPÍTULO 20

As histórias que ouço de Ptolomeu e seus amigos sobre aquela "Última Ceia" e o que aconteceu depois dela são sempre detalhadas e estranhas, em parte verdadeiras, em parte inventadas. Jesus previu que eu, Judas Iscariotes, o trairia, e que Simão Pedro, a rocha sobre a qual sua igreja seria erguida, o negaria três vezes antes de o galo cantar. Ele previu a própria morte. Previu sua ressurreição no terceiro dia. Assim, Judas, obediente, o trai e o entrega às autoridades, e Simão Pedro o nega três vezes antes de o galo cantar. Jesus morre. Jesus se levanta dos mortos. As histórias se completam. Jesus sabe como elas terminam, bem como estágios pelos quais o fim será alcançado. Sua divindade é confirmada por essa capacidade de prever os fatos.

Eu estava lá e me lembro muito pouco disso. Não me recordo de acusações de negação e traição, exceto (como as relatei) em termos mais gerais. É claro que Ptolomeu (ou Bartolomeu, como era naquele tempo) faria a mesma afirmação; ele estava lá, um dos doze. Ele se sentara à mesma mesa, testemunhara os mesmos eventos. Sua memória havia sido formatada para confirmar a fé que ele vivia para propagar? Ou minha falta de fé tornava-me cego ao que estava acontecendo? Colocando de maneira mais simples: eu estava errado, ou ele? Só Deus poderia responder a essa questão, se houvesse um Deus; e, se havia, Ele estava em silêncio e assim estivera durante os últimos quarenta anos, período em que, Jesus nos havia garantido, veríamos carruagens de fogo, a ira divina, a escolha dos eleitos e o fim dos tempos. "Onde está você, Jesus?", eu me perguntava às vezes no meio da noite. É uma piada, é claro, não uma prece solene, tampouco uma pergunta séria. O homem está morto, e, se algum dia eu recebesse uma resposta da escuridão, creio que poderia morrer, mas de surpresa, não de medo.

Nesta manhã chegaram notícias de Jerusalém, não menos terríveis por terem sido aguardadas por tantos meses. As legiões romanas finalmente haviam rompido o sítio. A cidade fora queimada, destruída, reduzida a ruínas. Poucos habitantes sobreviveram. A história, trazida em primeira mão por condutores de uma caravana de camelos e confirmada posteriormente por uma família judia de Betfagé, é de que cidadãos defensores haviam posto fogo em um veículo romano perto da Porta de Damasco. As chamas haviam se alastrado e atingido a fortificação de madeira, e logo o incêndio dominava a cidade, onde os poços eram rasos e quase não havia água para combatê-las. O fogo derrubou uma muralha, facilitando a entrada dos romanos, que finalmente penetraram na cidade pelo monte Scopus, matando tudo que encontravam no caminho. Os cidadãos lutaram com coragem, mas, enfraquecidos pela fome, pela doença e pelo desespero, logo foram derrotados. Ninguém, homem, mulher ou criança, foi poupado. Soubemos que Tito, o general romano, filho do novo imperador, chorou ao saber da destruição promovida por suas tropas. Ptolomeu e eu choramos com a notícia. Por um momento fomos irmãos como no passado. Quis dizer a ele quem eu era, mas não conseguia falar, pois a dor oprimia minha garganta. O momento passou.

— O que vai ser de nós? — perguntei a mim mesmo, pensando como um judeu, esquecendo por um momento minha nova identidade naquela comunidade grega. Imagino-me como um dos sobreviventes, como membro de um pequeno bando de hebreus destinado a vagar à procura de um lar. Agradeço à sorte por não ser assim. Agradeço a meu ceticismo, à minha incredulidade, a meus olhos observadores e à minha mente aberta pela vida que tive oportunidade de viver. Agradeço à minha falecida esposa Thea, a meus filhos e netos gregos. Agradeço ao manto de um novo idioma e de uma cultura diferente. Mas choro por Jerusalém e por seus habitantes e espero que nas províncias o povo judeu se recupere e seja poupado para viver e recomeçar.

Foi Teseu o primeiro a trazer-me as notícias. Ele estivera em uma pequena multidão que se reunira na praça, ouvindo os empoeirados condutores de camelos, enchendo-os de comida e bebida para convencê-los a falar tudo que sabiam. Depois da partida de Teseu, caminhei até a orla. Encontrei Autocylus em sua oficina e contei-lhe o que acabara de ouvir. Ele me encarou como se quisesse decifrar meus sentimentos.

— Bem, pelo menos não é sua região natal — respondeu.

Era verdade. A Galiléia havia escapado da pior parte da ira romana, embora não ilesa. Mas Jerusalém era especial. Eu me surpreendi dizendo:

— Sabe que meu nome era Judas antes de eu vir para cá, não sabe?

Ele parecia confuso. Não estava surpreso. Meus filhos sempre souberam que eu recebera de meus pais o nome Judas. Mas Autocylus não pensava no nome como um detalhe muito importante.

— É Judas, o nome judeu para Idas?

Respondi que supunha que sim, embora não acreditasse nisso. Não realmente. Mas, com essa questão, meu filho demonstrava ser um grego; eu, por minha forma de pensar, ainda era um judeu.

Eu disse:

— Não vou mais interromper seu trabalho.

Meu filho pôs um braço sobre meus ombros, meio desajeitado, como se não soubesse se era apropriado tentar confortar-me, se o gesto podia ser considerado excessivo.

Caminhei pela praia até uma área onde havia muitas árvores, onde eu mantinha uma canoa. Eu a removi dos arbustos nos quais costumava ocultá-la, empurrei-a para a água e embarquei, usando os longos remos para conduzi-la até uma parte mais profunda, onde um cardume prateado se movia de um lado para o outro em um balé gracioso, como se fosse uma única criatura do mar.

De repente, a criatura se desfez em muitas, e elas nadaram apavoradas em todas as direções. Não vi o peixe maior que os perseguia, não mais que um lampejo cintilante. A água já não era tão clara. Alguns peixes subiram à superfície, tentando escapar do predador, buscando refúgio em elemento estranho, imitando os homens que mergulhavam no mar para escapar da captura ou da morte.

E, então, tudo ficou calmo novamente. Quieto, silencioso, lindo. O mar em torno de minha canoa era plácido, transparente. O predador, satisfeito, partira, e os pequeninos sobreviventes retornavam à formação indistinta, uma nuvem ondulante e prateada que se movia debaixo da água.

Fiquei ali sentado, sem pensar em nada por um tempo, apenas sentindo tudo, eu mesmo e a paisagem, presente e passado, como se eu e ele, ou eu e eles, não fôssemos separados, mas um só corpo; e, então, tudo voltou. Uma sombra despertando de um canto obscuro e esquecido de minha mente, versos de um salmo cuja "dura justiça", como era chamada, havia inquietado nosso doce tutor, mas entusiasmara seu pupilo preferido:

Pelos canais da Babilônia lembrávamos Síon, e chorávamos.
Nossos captores exigiam música. Debochavam de nós.
"Cantem as canções de sua terra natal".
Mas nós penduramos nossos instrumentos nos galhos das árvores.
Como poderíamos cantar as canções do Senhor para ouvidos estranhos?
Jerusalém, se a esquecer, que minha mão direita seja paralisada sobre as cordas.
Que minha língua silencie se eu deixar de exaltá-la acima de todos os lugares em meu coração.
Puna, Senhor, os edomitas traidores que gritaram: "Destruam Jerusalém! Arrasem-na!".
E você, Babilônia, a destruidora — haverá alegria para quem a fizer pagar na mesma moeda.

Destruição por destruição, morte por morte, criança por criança,
Esmagada sobre as pedras.

Eram versos sombrios, e eu senti novamente seu poder, embora sem acreditar — como talvez um dia tenha acreditado — que os males cometidos contra Israel (ou quaisquer outros) seriam reparados por uma espécie de balanço final das brutalidades.

Mas Jerusalém se reergueria. Haveria sobreviventes. Nossa raça é resistente. Quanto a mim, sou Idas de Sidom, judeu, mas não judeu, pai de uma família grega e, portanto, por opção, se não por nascimento e criação, um grego.

Quando nossa ceia terminou, Jesus levou-nos para a rua. Tínhamos dois ou três aposentos reservados na taverna, camas suficientes para todos nós, mas ainda era cedo, e o seguimos sem o questionar. Ele nos levou ao vale do Cedrom, do outro lado da correnteza, e colina acima, para o Jardim do Getsêmani. Ele comentava sobre a beleza do lugar cada vez que por ali passávamos a caminho da cidade. Agora queria orar naquele cenário. Era uma noite clara, e caminhamos em grupos de dois ou três atrás dele, sombrios, ansiosos, temendo fazer perguntas.

Jesus se deteve em um bosque de oliveiras e disse que devíamos descansar. Os discípulos também se sentaram, encontrando trechos de relva macia sobre o piso de rocha. Jesus seguiu em frente. Dei-lhe alguns minutos, depois o segui. Eu o encontrei em um bosque fechado, segurando-se em um galho baixo, a testa apoiada contra o tronco. Ele orava em sentenças entrecortadas, a voz rouca repleta de medo e desespero.

Toquei seu ombro, e ele me repeliu com um gesto. Aquela aflição não devia ter testemunhas. Ele ergueu o corpo, recompondo-se. Quando comecei a falar, ele me calou, colocando a mão sobre minha boca.

— Não diga nada... A menos que seja algo que ainda não tenha ouvido de você.

Jesus me dominava, e eu me calei. Mas foi como se houvesse ocorrido uma troca entre nós, uma permuta silenciosa. Eu dizia que ele estava cometendo suicídio, que o sacrifício era desnecessário. Ele insistia em justificar seus atos como a vontade do Pai.

Teimosia. Era esse o nome que alguns davam à determinação de Jesus, à obstinação em não fugir para salvar-se. Mas, provavelmente, seria mais justo chamar sua atitude de lealdade. Lealdade para com seus seguidores, mas, mais do que isso, para com ele mesmo, com Deus e com a causa que passara três anos pregando. Jesus havia desafiado a autoridade do Templo e afirmado a própria autoridade. Se o desafio e a afirmação haviam sido sérios, ele não podia recuar agora.

Ele respirou fundo e segurou-me pelos ombros.

— Quero que isso acabe depressa. Então... Vamos em frente.

Afastei-me para deixá-lo passar, mas o segui de volta ao local onde os outros descansavam. Ele nos reuniu e ofereceu mais uma breve homilia, falando novamente como se em breve não fosse mais estar entre nós. Era uma despedida. Ele pediu que repetíssemos juntos a prece que nos havia ensinado, que tornamos nossa. Atendemos ao pedido com uma profundidade de sentimentos que podia ser ouvida em todas as vozes.

Depois, Jesus pediu a Simão Pedro, Tiago e João para acompanhá-lo a outra parte do jardim, para rezar com ele enquanto nós, os outros, ficaríamos vigiando. Não fui convidado e senti sua atitude como uma retaliação, mas ele certamente tinha razão. Minhas preces teriam sido apenas um meio para lhe agradar, não para agradar a Deus, cujos ouvidos eu jamais tivera e de cuja existência, já naquele tempo, eu me permitia duvidar.

Não creio que alguém tenha ido à taverna naquela noite, embora Bartolomeu tenha se ausentado por um tempo. Quando retornou, trazia seu amigo ourives, o que havia criado o broche que ele ostentava no peito. Muitos de nós dormíamos agitados, ou cochilávamos sob as árvores. Jesus ainda rezava com os três escolhidos quando eu ouvi vozes. Lanternas atravessavam a correnteza lá embaixo. Eu me levantei e corri para a trilha. Podia ouvir as vozes alteradas, excitadas, homens que subiam a colina em grupos numerosos. O "procurado" fora avistado na taverna com seus seguidores, e depois alguém o vira caminhando na direção do jardim.

Corri e o encontrei novamente entre seus discípulos. Revelei o que vira e ouvira, agarrando-o pelos braços, um gesto que, suponho, deu origem àquela história de que o beijei no rosto para sinalizar quem em nosso grupo era o profeta de Nazaré.

— Eles se aproximam! — exclamei. — Se nos espalharmos entre as árvores...

— Não, Judas. Não vou fugir.

No momento seguinte, estávamos cercados pelos guardas do Templo, pela milícia de Herodes e por um ou dois jovens levitas. Simão Pedro, apoiado por Tiago e João, tentou lutar contra os perseguidores. Outros de nosso grupo já corriam para as sombras do bosque. O jovem amigo de Bartolomeu, vestindo apenas uma tanga que cobria a região entre a cintura e a virilha, correu para a estrada. Um miliciano o agarrou, despindo-o da tanga, mas o jovem prosseguiu nu, desaparecendo na noite.

Jesus chamou os pescadores e ordenou que a resistência cessasse. Dirigindo-se aos perseguidores, ele indagou:

— Por que vieram a mim à noite, e armados, se podiam ter me capturado de dia no Templo?

Eles não estavam ali para discutir. Jesus teve as mãos amarradas às costas e foi levado dali. Os soldados foram duros, e alguns bateram em suas costelas e deram tapas em sua cabeça. Jesus aceitava as agressões sem protestar.

Em um momento, eu me vi sozinho no jardim. Os discípulos, todos, exceto Simão Pedro, que seguia o grupo de soldados, haviam fugido. Eu hesitava, temeroso, mas depois, inspirado pela coragem de Pedro, decidi segui-los. Vi alguma coisa brilhando no chão. Era o broche feito pelo amigo de Bartolomeu. Eu o recolhi... e o tenho comigo até hoje, única recordação daquele triste evento.

Alcancei Pedro e nós os seguimos a distância, descendo a colina e atravessando o riacho novamente de volta à cidade. Logo chegamos ao Templo. Ainda seguindo os soldados, subimos uma escada de degraus de pedras, atravessamos um pátio amplo, subimos outra escada. Um corredor largo levou-nos a uma porta dupla que se abria para um espaçoso aposento. Fomos detidos por guardas que nos impediram de entrar.

Pedro sentou-se em um banco. Eu continuei na frente da porta, tentando ver o que acontecia lá dentro. No interior do que parecia ser um espaço público iluminado por tochas presas às paredes, sacerdotes de grande importância e escribas encontravam-se reunidos. Imaginei que pelo menos alguns ali fossem membros do Sinédrio. Havia rostos conhecidos no grupo. Só precisei de um instante para reconhecer um deles. Meu tio.

Aproximei-me novamente dos guardas. Apontei meu tio, citei seu nome, expliquei que ele era irmão de meu pai.

— Ele não vai se opor à minha presença na sala — garanti. Notando sua hesitação, acrescentei com meu melhor sotaque: — Ele vai querer falar comigo quando tudo isso terminar.

Os guardas trocaram um olhar de dúvida, mas me deixaram entrar.

Sentei-me no fundo da sala. O alto sacerdote, Caifás, assistia em silêncio ao espetáculo degradante. Jesus era acusado de incitar desordem, desonrar o Templo e fazer falsas afirmações a respeito de si mesmo, blasfemando contra a autoridade dos sacerdotes.

Jesus nada dizia.

Caifás assumiu o comando.

— Você é Jesus de Nazaré?

Silêncio.

O sacerdote prosseguiu:

— Entrou em Jerusalém cavalgando um jumento. Foi aclamado como o "Filho de Davi". E encorajou essa acolhida que foi uma grande blasfêmia.

Silêncio.

Caifás citou o profeta:

— "Não temam, filhas de Sião: esperem pela chegada do novo Rei, que virá montado em um jumento novo".

Jesus então respondeu:

— Essa é a profecia. Por isso é proibido cavalgar um jumento?

— Você fingiu ser a realização da profecia.

— É você quem a menciona. Eu só cavalguei o jumento.

— É o rei dos judeus? O Messias?

Jesus balançou a cabeça.

— É você quem pronuncia as palavras.

— O que quis dizer com "Antes de Abraão, era eu"?

— Quis dizer que a alma existe antes do tempo.

— Sua alma, Jesus de Nazaré?

— Minha alma, e a alma do homem.

— Disse que demoliria o Templo e o reconstruiria em três dias?

— O que eu disse foi falado abertamente no Templo e em locais públicos. Se cometi um erro, por que não me prenderam lá, diante daqueles que me apoiavam?

Um dos guardas, parado atrás de Jesus, deu um tapa em sua nuca.

— Responda!

— Temos testemunhas — insistiu Caifás.

— Nesse caso, devia preferir as respostas delas às minhas.

— Vou perguntar pela última vez. Você é o Cristo? É o Filho de Deus?

Jesus encarou-o. Depois olhou em volta. A luz das tochas fazia com que seus olhos brilhassem, os quais pareciam corajosos, mas não desprovidos de medo.

— Essas são suas palavras — ele repetiu. — Mas eu lhe digo: você vai ver o Filho do Homem, que se senta à direita do Pai, descer das nuvens do céu e saberá a verdade do que digo, e as conseqüências do que faz contra mim.

Meu coração sofreu um sobressalto. A coragem de Jesus era impressionante. Seria maravilhoso se suas palavras correspondessem à verdade! E era soberbo que, ainda sabendo ser mentira, ele as pronunciasse mesmo assim.

O sorriso de Caifás era frio. Ele estava satisfeito. Sério, virou-se para os membros do Sinédrio. Eles discutiram rapidamente em voz baixa, movendo a cabeça em sentido afirmativo, antes de olharem novamente para o acusado.

— Jesus de Nazaré, decidimos que suas blasfêmias merecem apenas uma punição, e ao amanhecer você será posto diante do prefeito romano, Sua Excelência Pôncio Pilatos, que tem o poder de decretá-la. — Ele acenou para os guardas. — Levem-no!

Fiz um movimento na direção de meu tio, mas ele me ignorou e desapareceu pela porta dos fundos da sala, acompanhando os outros membros do conselho. Sabia que ele já me havia notado ali. Eu era muito parecido com meu pai (e com ele, em última análise) e suponho que ele tivesse ouvido notícias de minha associação com Jesus, o profeta de Nazaré. Sendo assim, preferia se manter longe de mim.

Passei a noite com Simão Pedro, vagando pelas ruas desertas, procurando cantos e soleiras em que pudéssemos descansar. Nós dois, aqueles que seriam conhecidos como o homem que negou Jesus e o traidor, passamos aquelas horas em vigília, tentando pensar em alguma coisa para salvá-lo, enquanto os outros dez, que nunca foram difamados, pelo menos não aqui em Sidom, não que eu tenha ouvido, desapareceram. Alguns devem ter partido imediatamente, caminhando pela noite, voltando para suas casas. Era o que eu queria que Jesus tivesse feito.

Recentemente, interroguei Ptolomeu sobre isso. O que ele havia feito depois da prisão de Jesus? Ptolomeu respondeu que fora forçado a se esconder.

— Todos nós corríamos perigo. Nenhum de nós estava seguro. E, se Jesus ia morrer, nós teríamos de continuar divulgando sua mensagem. Tínhamos de sobreviver para continuar pregando.

Excelente! Como era bom ter as melhores razões, as mais dignas, para a autopreservação! Mas isso era injusto. Não havia nada que eles pudessem ter feito para salvá-lo.

Eu disse:

— Então, não presenciou a crucificação? — Eu sabia que não.

— Simão Pedro esteve lá. E talvez outro de nossa fraternidade.

— Outro?

Ele assentiu e começou a tatear ao lado da cadeira, tentando encontrar a bengala. Esse era o tipo de questionamento que, eu já havia notado, ele tentava evitar. Sua narrativa daqueles eventos era cuidadosamente formatada de modo a se adequar sua mensagem, e ele não gostava quando lhe solicitavam detalhes que pudessem arruinar esse formato ou contrariar a imagem que ele desejava transmitir.

— Quem era o outro?

— Outro?

— O discípulo. O que esteve presente na crucificação. Disse que havia outro.

— *Pode* ter havido. Nunca foi confirmado.

Eu comentei que alguém me contara que havia sido Judas Iscariotes.

— Tenho certeza de que não é verdade — ele respondeu, embora não parecesse certo de nada. — Judas suicidou-se.

— Ah, sim... É claro. Eu me havia esquecido...

> Há muito tempo Andreas
> nos ensinou: "O grego
> quer Razão,
>
> o judeu procura
> um Sinal. Há um
> Sinal na queda
>
> da cidade
> santa, de que nossa raça
> deve abandonar

sua sede por um
Messias, sua fome
por Sião?

Honre as pedras
e deixe-as ficar
onde caíram.

Ouça o vento
e acene, a linguagem
das estações,

e deixe Deus morrer
de velho, sem ser perturbado
por nossas preces.

CAPÍTULO 21

Na manhã seguinte, Simão Pedro e eu nos lavamos em uma fonte e dela bebemos. Não tínhamos comida nem dinheiro, mas como nenhum de nós, até onde eu sabia, usara os aposentos reservados na taverna, achei que não seria arriscado demais voltar lá e pedir uma refeição. O proprietário estava confuso com a situação, com os quartos vazios e arrumados, mas não nos tratou com hostilidade e ainda nos deu um bom desjejum. Ele não ouvira a notícia da prisão de Jesus. Forneci um relato resumido, frio, como se a situação não me dissesse nada, como se fosse só um fato rotineiro. Os sacerdotes, expliquei, haviam se oposto a alguma coisa que Jesus dissera em sua pregação. Eles o mandariam para o prefeito de Roma.

O homem meneou a cabeça. Isso não era bom, disse. Pôncio Pilatos era brutal e gostava de demonstrar essa brutalidade. Por isso conduzia seus tribunais no terraço público da Fortaleza de Antônia.

— Ele nos enche de pavor e nos impõe obediência. Dizem que ele sente saudade de Roma, que odeia Herodes e os sacerdotes com quem tem de lidar, por isso extravasa sua ira no povo. Nós. O flagelo é sua prática preferida. Seu exercício matinal.

Quando Pedro e eu chegamos à fortaleza, já havia uma multidão reunida diante do terraço. No meio da manhã Caifás apareceu, acompanhado por outros sacerdotes de seu grupo. Jesus foi levado ao local. De olhos baixos, ele parecia cansado, ferido, sujo e infeliz. Havia sido destituído de seu manto e das sandálias e exibia o peito nu. Senti uma dor tão profunda por ele que desejei tornar nossa presença conhecida, mas não tive coragem.

Pilatos mantinha todos ali, esperando. Chegou acompanhado por guardas armados e reluzentes em suas armaduras de metal, aceitou as saudações que lhe eram feitas por ser representante de Roma e do imperador e sentou-se para presidir o julgamento. Concluída a entrada triunfal, ele não desperdiçou tempo nem palavras.

— Investiguei essa questão — disse, olhando para Caifás, mas falando em voz alta para ser ouvido por todos. — Tive até o cuidado de chamar o tetrarca da região da Galiléia, Herodes Antipas, que se encontra atualmente em visita a Jerusalém. O tetrarca, que tem especial antipatia pelos supostos profetas que infestam sua região, concorda comigo sobre essa pessoa de Nazaré... — Ele parou, esperando que um oficial se abaixasse para sussurrar o nome em seu ouvido. Senti que tudo era uma encenação e que ele provavelmente conhecia bem o nome. — Esse Jesus de Nazaré que possui, de acordo com o que soubemos, uma voz convincente e palavras envolventes, mas pouco mais para recomendá-lo. Ele é um andarilho imprestável, um inútil que gosta de iludir o povo, mas não merece mais que um açoite... que eu mesmo estou pronto para executar.

Ele estendeu a mão para trás e, sorrindo, recebeu de um centurião o chicote de cabo de prata. As tiras de couro tinham em suas pontas esferas de metal que brilhavam à luz do sol.

Pilatos olhou para o alto sacerdote como se esperasse sua aquiescência, mesmo sabendo que não a teria. Havia entre aqueles dois uma evidente luta pelo poder. Eu podia senti-la e sabia que Jesus era a expressão dessa disputa naquele exato momento, embora não entendesse o que estava em jogo.

— Com todo o respeito, excelência — Caifás manifestou-se —, esse Jesus de Nazaré blasfemou contra o Templo e contra a autoridade de seus sacerdotes. O povo não se dará por satisfeito.

Pilatos sorriu novamente. Era um sorriso desagradável. Duvido que tivesse um sorriso diferente em outras ocasiões. Ele parecia pensar no assunto ou querer passar essa impressão.

— Digamos, então, que a sentença é a morte. — Houve um murmúrio de aprovação entre os presentes. Pilatos sorriu ainda mais. — Ah, o apetite por sangue... como é corriqueiro!

Ele se voltou novamente para o sacerdote, mantendo a voz elevada como se estivesse em um palco. — Nessa celebração da Páscoa, como sabe, sou obrigado a libertar um condenado e devolvê-lo ao povo. Com exceção de dois salteadores de estrada, homens sem nenhuma relevância, temos dois condenados nessas sessões: Barrabás, o rebelde, e agora Jesus de Nazaré, acusado de blasfêmia. Proponho que o suposto profeta seja libertado. Ele será açoitado e libertado.

Os murmúrios agora eram de descontentamento.

— Crucifiquem Jesus — alguém gritou. — Soltem Barrabás!

A multidão se inquietou.

— Crucifiquem Jesus! Soltem Barrabás! Crucifiquem Jesus! Soltem Barrabás!

Pilatos levantou uma das mãos, e o coro silenciou.

— Esse é o seu rei, judeus. E vocês não o querem?

— Não o queremos! — respondeu uma voz em algum lugar da multidão.

— Podem ficar com ele — acrescentou outra.

Muitos riram.

— Com respeito, excelência — Caifás manifestou-se novamente —, esse homem não é rei de nada. É só o filho de um carpinteiro das províncias.

— E quem é Barrabás, que deseja libertar? Ele não é um assassino? Um rebelde contra Roma?

— Sim, ele é um encrenqueiro, é verdade. Não é um homem digno, mas também não blasfema!

— Quer dizer que ele não questiona sua autoridade.

— Foi sua autoridade, excelência, e a de Roma, também, que esse "rei dos judeus" desafiou. Quem reina sobre os judeus senão nosso imperador Tibério? Se alguém tem de ser libertado, que não seja aquele que lançou a maior ofensa, o maior desafio.

A multidão voltou a cantar:

— Crucifiquem Jesus! Soltem Barrabás!

Pilatos estava perturbado. Sério, ele roía a unha do polegar e se movia no assento, olhando para a multidão. Ele não sabia o que fazer. Não queria condenar Jesus à morte, pois estaria cedendo à pressão do sacerdote, nem queria libertá-lo e contrariar o povo. Por outro lado, libertar Barrabás seria deixar escapar um rebelde...

A multidão seguia cantando:

— Crucifiquem Jesus! Soltem Barrabás!

Nesse momento, Pilatos compreendeu que não havia vitória completa para essa batalha. A constatação o enfureceu, e ele se levantou indignado, as mãos na cintura e o peito inflado. Sua postura calou o povo.

— Não cabe ao representante da grandeza de Roma ficar aqui discutindo com você, Sacerdote. Se é isso que Jerusalém deseja, Jerusalém terá. Barrabás será libertado. Jesus morrerá.

Houve uma comoção na multidão. O povo parecia satisfeito. Pilatos brandiu o chicote e, sem aviso prévio, desferiu um golpe violento contra as costas de Jesus. A dor e o choque o lançaram ao chão. Ele ainda se levantava quando foi atingido novamente. O som por ele emitido foi mais um gemido de espanto do que um grito de dor. Espanto *com a* dor, era o que parecia, como se naquele momento, enquanto o sangue jorrava das feridas abertas em seus ombros, ele penetrasse em um mundo completamente novo e terrível.

A multidão ia contando as chicotadas.

— Três... Quatro...

Entre uma e outra, ouvi Jesus implorando:

— Não, por favor...

Ele estava de joelhos.

— Cinco...

Esse golpe o derrubou com o rosto no chão. Pilatos parou para massagear o braço que empunhava o chicote. Ele se preparou para desferir a sexta chicotada, e o povo chegou a contá-la, mas ele desistiu e jogou o chicote de volta ao centurião.

— Seu rei já recebeu *minha* punição, judeus. Meus soldados farão o restante. Comemorem a Páscoa.

Ele se virou e desapareceu, seguido por muitos guardas e oficiais. Jesus estava novamente em pé, cambaleando, com as costas ensangüentadas, o rosto lavado pelas lágrimas. Soldados o cercaram. Ele foi levado para perto da multidão, que gritava:

— Rei dos judeus! Rei dos judeus!

— Salve-se agora, profeta de Nazaré!

— Sinto dor de dente. Cure-me, profeta milagroso!

Outra voz, essa menos debochada, mas carregada de ódio, elevou-se:

— Profanador do Templo. A morte é o que você *merece*.

Jesus desapareceu na multidão. Quando voltei a vê-lo, ele era arrastado pela rua no meio de um grupo de vinte soldados, aproximadamente, e ao lado de uma cruz de madeira que alguém, um cidadão corpulento e carrancudo, era obrigado a carregar. Os soldados, sempre mal-humorados e prontos para exibir seu ódio pela população local, divertiam-se atormentando-o. Na cabeça de Jesus, eles puseram um aro, ou uma coroa, feito de espinhos de rosa retorcidos, empurrando-o com força sobre sua testa de forma que os espinhos a ferissem. O sangue escorria, abundante. Presa à cruz havia uma nota breve que eu não podia ler por estar afastado daquela gente, mas que, eu soube mais tarde, declarava que aquele era *Jesus Nazareno, Rei dos Judeus*.

Eu o perdi novamente. As ruas agora estavam lotadas, e muita gente, vendo que uma crucificação era iminente, seguia os soldados e o condenado.

Eu estava muito abalado. Não queria presenciar a execução, mas sabia que tinha de vê-la. Em dado momento minha coragem desapareceu, entrei em um beco estreito e esperei que todos passassem por mim. Abaixei-me no chão. Tentei orar, mas sabia que não era ouvido. Recitei a prece que Jesus nos havia ensinado e encontrei nela certo conforto, embora estivesse chorando copiosamente.

Minha dor não era importante, mas a imaginação é poderosa e capaz de modificar qualquer sensação, mesmo que só em nossos pensamentos. O que acontecia nas mãos e nos pés de Jesus se repetia em minha cabeça, e até hoje, quando penso naquele dia, tenho a sensação de ter sido crucificado e chego a pensar que posso ter cicatrizes.

Não sei quanto tempo fiquei ali, chorando sob os olhos curiosos dos homens que passavam e das mulheres que surgiam em seus terraços para sacudir tapetes e pendurar roupas lavadas.

Finalmente, voltei a seguir o cortejo, mas agora estava no fundo do grupo, afastado da cena principal. Seguimos pela Porta de Damasco para além das muralhas da cidade, pelo lado oposto do monte das Oliveiras e por uma estrada larga, passando dela para outra secundária, que subia uma pequena encosta que hoje tem o nome de monte do Calvário. No alto dessa colina, eu vi três cruzes, todas em seus lugares, fincadas no chão, já ostentando seus frutos humanos. As pessoas estavam espalhadas pela região batida pelo sol quente, assistindo a tudo, algumas sérias e pensativas, outras muito tranqüilas, divertindo-se. Havia homens vendendo água, suco de frutas e refrescos em copos; outros ofereciam bolos de canela e mel. Essas execuções tinham o propósito de aterrorizar a população e aterrorizavam, mantendo-nos subservientes ao poder romano. Mas era possível perceber que poucos ali pensavam na possibilidade de um dia terem de abrir as mãos para receber os pregos imperiais. Fico me perguntando hoje quantos viveram para ver o último ataque e quantos morreram daquela mesma maneira.

Eu me aproximei e vi Jesus na cruz central, nu, retorcendo-se, gemendo, a cabeça pendendo para um lado e para o outro, os olhos fechados e as lágrimas lavando o sangue que lhe cobria o rosto. Ele ainda estava vivo, vulnerável à dor, e a imagem de seus pés, um sobre o outro na pequena plataforma, com um enorme prego atravessando-os, me fez desviar os olhos.

Senti ódio. Frustração. Desespero. Como ele fizera aquilo a si mesmo? Como nós, seus amigos, havíamos permitido? Minha raiva era voltada sobretudo a mim mesmo, porque eu antecipara o que estava acontecendo, mas não fora forte nem suficientemente claro ao confrontá-lo. Havia fracassado em minha tentativa de salvá-lo de si mesmo ou (se preferirem) do poderoso sádico, criador do céu e da terra, cujo filho ele acreditava ser.

Examinei a multidão, tentando encontrar nossos companheiros de jornada. Dos discípulos, apenas Simão Pedro se encontrava ali, firme como uma rocha, sério, olhando para as cruzes como se fossem um enigma que ele se dispunha a solucionar. As irmãs Maria e Marta não estavam muito longe dele. Nesse momento, Maria perdeu o controle e começou a chorar e gritar, jogando a cabeça para trás, rasgando as próprias vestes e batendo no próprio rosto. Marta, também chorosa, tentava acalmá-la. Maria Madalena estava perto delas, mas não chorava e exibia uma expressão que eu não conseguia decifrar.

Dois salteadores tinham sido crucificados antes de Jesus, um de cada lado dele. Também estavam conscientes, sofrendo, e suas famílias choravam e repetiam seus nomes. Havia também os que zombavam, os que desafiavam Jesus a provar que era mesmo o famoso milagreiro. Para isso, ele só teria de descer da cruz.

— Não nos deixe esperando, Jesus. Faça sua cena! Mostre-nos de que é feito! Vai chegar em casa em tempo para o jantar.

Eu só queria que aquilo acabasse logo, queria que Jesus morresse. A crucificação podia representar uma morte lenta. Ouvi falar de homens fortes que haviam sobrevivido por três dias. Mas também ouvi de pessoas presentes na multidão, gente que costumava assistir aos eventos com certa constância, que as mortes seriam apressadas por ser véspera do Sabbath. As autoridades do Templo protestariam caso os corpos ainda estivessem expostos depois do anoitecer. Isso significava, geralmente, quebrar as pernas dos crucificados, algo que me causava um horror peculiar. Mas, de fato, no caso de Jesus, a questão foi resolvida por uma lança.

Foi no meio da tarde, e uma nuvem havia encoberto o sol. Eu me mantinha perto das cruzes. Às vezes, anteriormente, tive a impressão de que Jesus me via e reconhecia. Esperava que sim, queria que, em sua consciência atormentada, ele soubesse que tinha um amigo de infância ali, entre tantos rostos desconhecidos. Mais tarde, com o rosto ensangüentado coberto por moscas que escondiam sua expressão, eu já não pude mais ter essa impressão de reconhecimento. Ele ainda estava vivo, porque se retorcia e gemia, embora esporadicamente. E, então, pegando-nos de surpresa, ele endireitou a coluna, ergueu o corpo, apoiando-se nos pregos, jogou a cabeça para trás e gritou:

— Senhor Deus do céu, por que me abandonaste?

Foi um grito arrancado do fundo da alma, um grito de protesto, o último daquela voz tão poderosa que eu ouviria para sempre em meus pensamentos, em meus sonhos. É assim que eu sei que não há nenhum Deus. Se houvesse, e Ele houvesse ordenado aquele destino para Seu filho fiel e servil, Ele teria morrido de vergonha naquele momento. Ou talvez houvesse um Deus, e Ele houvesse mesmo morrido, e o que tínhamos era apenas uma lembrança, um rumor, um reconhecimento nebuloso do que um dia fora, imagens transportadas pelo mundo nas palavras de Ptolomeus e Paulo (outro adepto da doutrina de Jesus que havia passado por minha região), os vendedores itinerantes do numinoso, do divino, do eterno, do extinto.

A lança foi empurrada contra seu coração lentamente, com deliberação, com amor até, como se o soldado romano reconhecesse que, quando se mata o Filho de Deus, é preciso fazer um trabalho bem-feito e mostrar respeito. Foi como se uma eternidade transcorresse até a lança estar inteiramente cravada em seu peito, e uma eternidade até ela ser removida, ensangüentada, sinistra, desprovida do brilho metálico. Havia na lâmina sangue e um líquido fluido. Jesus respirou profundamente, prendeu o ar e o soltou devagar, dizendo alguma coisa que eu não consegui ouvir. Estava morto. Eu agradeci a Deus (porque não havia mais ninguém para agradecer) por estar terminado.

Os soldados removeram os corpos das cruzes. Ansiosos, queriam livrar-se logo dos cadáveres e retornar às suas tendas. Enquanto Jesus ainda estava sendo retirado da cruz, Marta, tendo acalmado a irmã, sofreu um ataque nervoso e começou a gritar com o centurião encarregado do processo, investindo contra ele com os punhos cerrados. Ele a mantinha afastada com uma das mãos, calmo, tentando apaziguá-la. Era um homem de meia-idade, marcado pela varíola, enrugado, sobrevivente, talvez, de muitas campanhas e várias crucificações. Ele falou com ela em um aramaico difícil, misturando palavras do grego, dizendo alguma coisa como:

— Estamos fazendo nosso trabalho, moça. Não gostamos disso, mas a lei tem de ser cumprida.

Marta ouviu a solidariedade na voz dele, acalmou-se e caiu soluçando nos braços da irmã.

Maria Madalena veio falar comigo. Cumprimentou-me, de fato, como se eu fosse alguém que chegava a um funeral e ela representasse a família enlutada. Tive a impressão de que ela agia em nome de Jesus. Era quase como se disse: Obrigada por ter vindo. Vi novamente aquela expressão que notara antes, de longe, e não pudera interpretar. Os olhos dela brilhavam. Ela não estava infeliz. Estava exaltada.

Minha ira voltou. Lembrei-me de uma ocasião em que eu tentara convencê-la a me ajudar a persuadir Jesus a retornar à Galiléia e ela dissera que talvez o destino dele fosse a morte.

— Está satisfeita? — disparei, revoltado. Apontei para o corpo caído no chão, nu e ensangüentado, um corpo que os soldados romanos se encarregariam de sepultar. — Ele está morto! Está satisfeita com isso?

Ela mantinha uma calma que não era natural naquelas circunstâncias.

— Ele está morto. E vai viver novamente. Jesus vai andar pela terra outra vez. Você vai ver, Judas.

Eu não conseguia falar. Tive de me virar e sair dali. Quando recuperei a calma e voltei, um homem explicava às três mulheres e a

Simão Pedro que ele obtivera permissão das autoridades romanas para retirar o corpo. Comerciante rico, ele ouvira vários sermões de Jesus e se convencera de sua divindade. O homem era natural da Arimatéia, mas vivia agora em Jerusalém. Ele tinha uma sepultura que mandara construir para si mesmo, um sepulcro cavado na rocha em seu jardim na cidade. Seria um lugar apropriado, ele dizia, para o corpo do profeta, e ele mais tarde mandaria fazer outro para si mesmo, de forma que um dia, morto, pudesse descansar ao lado do grande Jesus de Nazaré.

Como Maria Madalena, ele também parecia em transe. Seus criados, que haviam providenciado linho e especiarias, além de uma liteira para o transporte do corpo, esperavam para conduzi-lo ao sepulcro, onde o untariam e envolveriam na mortalha. As mulheres, Maria, Marta e Maria Madalena, iriam com ele para ajudar e assistir aos procedimentos.

Eu os vi levarem Jesus.

— Jesus está morto — repetia para mim mesmo. Seus discípulos, todos, menos dois, haviam fugido. Toda a empreitada estava encerrada. Não sei o que pensávamos estar fazendo, o que Jesus esperava alcançar, mas tudo acabara em dor, em lágrimas e naquela desnecessária e terrível execução. Lembrei-me de como ele nos havia incentivado, quando não nos sentíamos bem-vindos, a "sacudir o pó das sandálias" e seguir em frente. Era o que eu tinha de fazer agora. Precisava recomeçar minha vida. Em curto prazo precisava decidir como, sem nenhum dinheiro, eu poderia deixar a cidade e voltar para casa.

Suponho que, comprovadas as dificuldades, eu teria engolido o orgulho e ido procurar meu tio, mas não tive de chegar a esse ponto. Não foi necessário. Quando me encaminhava para a Porta de Damasco, dois homens se aproximaram de mim. Eram guardas do Templo. Senti medo, uma opressão no estômago. Eu seria preso?

Eles não me prenderam, mas falavam com autoridade, como se me dessem ordens. Um deles me informou:

— Seu tio precisa falar com você.

— Imediatamente — acrescentou o outro. — Nós o levaremos até lá.

Eu não protestei.

Passei vários dias com meu tio, um homem esnobe e arrogante, como eu o via desde minha infância, mas com um agradável senso de humor e uma grande semelhança com meu pai, o que despertou em mim a vontade de tratá-lo com respeito. Ele, por sua vez, estava inclinado a ser indulgente, vendo-me, eu penso, como um rapaz bem-criado que havia escolhido um caminho errado por razões que ele não conseguia entender. E ele devia imaginar que, como seguidor de Jesus, eu seria profundamente religioso. Entendeu, e ele mesmo me falou, como um jovem como eu, preocupado com a verdade e a integridade espiritual, podia esperar demais da religião estabelecida e de seus sacerdotes e, assim, encontrar-se seguindo falsos profetas que prometiam céu e terra, reinos que não podiam entregar.

Deixei que se mantivesse nessa leitura errônea de meu caráter. Era minha via de escape. Além do mais, o que eu teria a lucrar confessando que não só havia duvidado de que Jesus era o Filho como também não sabia se acreditava no Pai?

Ele sabia que eu havia assistido à crucificação e que ficara muito abalado e não era insensível a ponto de demonstrar satisfação com a morte de meu amigo. Mas não era difícil perceber que ele acreditava que Caifás tinha conquistado importante vitória sobre o prefeito romano com a crucificação de Jesus. Quando disse a ele, naquela primeira noite, que um comerciante muito rico ia enterrar Jesus em um sepulcro em algum local da cidade, ele reagiu imediatamente:

— Isso não pode ser permitido!

Perguntei quem impediria o sepultamento, uma vez que o homem em questão tinha a autorização e o apoio do prefeito.

Meu tio sorriu.

— É isso, então. Não há nada a ser feito.

Mas eu sabia que ele mentia. E quando ouvi, dois dias mais tarde, que a pedra havia sido removida da entrada da tumba e que o corpo desaparecera, tive certeza de que os sacerdotes do Templo e o Sinédrio eram os responsáveis, ou pela ação propriamente dita, ou pela ordem que a produzira. É uma dessas ironias da história: a profanação de um túmulo, um crime hediondo praticado por altos sacerdotes, um gesto desesperado cujo propósito era impedir um culto a Jesus no local de sua sepultura, havia produzido (do ponto de vista desses mesmos sacerdotes) efeito pior e conferido maior poder ao mito, porque do desaparecimento do corpo surgira o relato de que Jesus se levantara dos mortos.

É claro que seus seguidores "viram" Jesus depois da crucificação. Estou sempre ouvindo relatos sobre essas "visões", que são muitas e variadas. Ele foi visto perto do sepulcro, na Galiléia, na estrada para Emaús, às vezes por um, outras vezes por três, quatro e até, em uma ocasião, por quinhentos homens. Estava mudado, irreconhecível, ou era o mesmo, inconfundível. Ele falava, ou ficava em silêncio. Dissera a uma pessoa para não tocá-lo e, a outra, para tocar suas feridas. Ptolomeu conta à sua fiel multidão de ouvintes uma história comovente (que ele apenas ouviu de outro homem, é claro) sobre Jesus ter aparecido inteiramente vestido de branco, como em meu casamento, ascendido ao céu, levado pelo Pai, e subido até ser apenas um ponto de luz no firmamento.

Eu também vi Jesus depois de sua morte. Naqueles primeiros dias, especialmente, enquanto a lembrança da crucificação atormentava-me e mantinha-me acordado à noite, eu o via na rua, no meio de uma multidão, ouvia sua voz brotando de trás de uma janela, da mesma forma que vira e ouvira Judith depois de sua morte. Ainda os vejo em sonhos, ambos, embora nunca juntos. Nossos mortos estão sempre conosco. Mas não estão vivos. Essa é a natureza de estar morto, e é melhor aceitá-la.

Com o passar dos dias, a dor foi substituindo a raiva. Meu tio era solidário. Ele me deu roupas novas e algum dinheiro, uma quantia mais do que razoável. Era generoso. Ele sugeriu que eu viajasse e me recuperasse em outros ambientes. Segui seu conselho e cheguei, depois de muitas aventuras, a Tiro, e de lá, depois de ainda outras aventuras, incluindo o raio que queimou o carro de boi em que eu levava todos os meus pertences, deixando-me apenas uma pequena bolsa e um broche, cheguei a este adorável vilarejo à beira-mar ao sul de Sidom, onde conheci minha segunda esposa e me casei com ela.

Mas essa é uma outra história.

> Hoje há
> chuva. Ela vai nutrir
> meu pomar.

> Hector está lá fora,
> na chuva, fingindo
> ser um soldado.

> Vejo um
> barco trazendo sua
> carga para o píer.

> Electra está
> lá para comprar peixe
> fresco para o jantar.

> Por que estou
> chorando? Foi tudo
> há tanto tempo, e

> as coisas seguem seu
> curso, não importa o que
> façamos, e o tempo cura,

dizem. Talvez
eu chore por mim mesmo,
não por meu amigo,

mas o pesar
parece real. De qualquer maneira,
estou feliz pela chuva.

CAPÍTULO 22

Há muito tempo eu pensava que a história de Jesus terminava com a morte de meu amigo na cruz, mas parece que não é bem assim. Com o passar dos anos, e com os evangelistas do culto andando pelo mundo, ficou claro que a história floresce como contos da Arábia, mudando e crescendo com o tempo e a distância. A divindade provada por "milagres" e uma promessa de vida eterna em troca, simplesmente, de "fé" são termos irresistíveis em um mundo repleto de pobreza, miséria, dor e morte. Bartolomeu e seus companheiros "cristãos" (como notei que passaram a se chamar ultimamente) sempre encontram incredulidade e deboche, mas, na mesma medida, encontram ouvidos férteis, convertem pessoas em todos os lugares, todos os dias. É um pensamento estranho que o nome que um dia foi meu, Judas Iscariotes, seja levado a oeste e ao norte, a todos os lugares onde estejam esses novos discípulos, para ser conhecido, à medida que a história é contada, como o traidor do Filho de Deus. Fico feliz por tê-los deixado, nome e identidade, em favor do nome Idas de Sidom. Idas, o grego. Idas, o poeta.

Estou por fim para livrar-me de meu hóspede. Seja o que for que leve Ptolomeu e o direcione para o próximo passo de sua jornada (a vontade de Deus, como ele declara), essa força entrou em ação. Com seu sempre servil auxiliar Reuben, ele planeja partir ao amanhecer. Minha nora preparou uma ceia de despedida, uma última ceia, eu a chamei, mas não diante dele. Tenho de maneira geral, mas não inteiramente, apreciado sua companhia; agora, vou apreciar também sua ausência.

Teseu juntou-se a nós, e nos sentamos à mesa do terraço sob as palmeiras, de onde vimos os morcegos baterem suas asas contra o céu que, por alguma razão, apesar de o sol já se ter posto, não perdia seu tom azul aveludado. Quando comentei esse fato, Ptolomeu confessou sentir saudades das cores de seu mundo, mas não resistiu ao hábito de pregar e pôs fim à piedade que invocava dizendo que as cores do céu, que ele via mais claramente depois da cegueira, eram infinitamente mais belas e gratificantes.

Contei a ele que, quando era jovem, minhas visões e meus sonhos do céu haviam sido incolores e que agora, já um homem velho, eu aceitava a lógica de tudo isso.

Ele me perguntou qual era a lógica.

— Como nenhum lugar é incolor, o céu não está em lugar nenhum. Existe apenas na imaginação.

Ele sorriu.

— A lógica tem seus limites, certamente.

— E a fé, diferente de tudo que compõe nossa experiência, não tem nenhum.

Havíamos comido bem e bebido vinho, o que destravava minha língua.

— Habituei-me a chamá-lo de Ptolomeu, mas, para mim, você é Bartolomeu.

— Eu fui Bartolomeu.

— Sim, e eu o conheci nesse tempo.

Ele mergulhou em um silêncio estranho, como se de repente seus olhos sem vida pudessem me ver.

— Sua voz...

— Você a reconhece?

— É uma voz que já ouvi antes.

— Sim, é uma voz conhecida.

Ele ficou em silêncio novamente, talvez deixando ecoar em sua mente um ou outro timbre em particular. Eu sabia que o intrigara anteriormente.

— Viajamos juntos por muitas estradas.

Ele ergueu os ombros. Havia neles uma tensão evidente.

— Com Jesus.

— Com... — Agora a voz dele traía certo temor. — Qual era seu nome?

— Meu nome era Judas.

Ele sabia que eu dizia a verdade. Era esse o conhecimento que os ouvidos lhe haviam passado antes, um conhecimento que ele rejeitara durante todo o tempo que passara em minha casa. Agora, ouvindo-me fazer a afirmação, ainda tinha dificuldades para aceitar a realidade.

— Não é possível...

— Judas Iscariotes. Sim, é verdade.

— Não! Você morreu!

— Tem certeza? — Eu o ouvira pregar sobre o suicídio de "Judas o traidor", alegando inclusive ter visto meu corpo sendo retirado da figueira amaldiçoada.

— Sim, eu tenho certeza.

— Então, devo ter me levantado dos mortos.

Ele se levantou. Uma das mãos tocou a cruz que levava pendurada ao pescoço, a outra tateou o ar até encontrar o ombro de Reuben.

— Você acreditou que podia acontecer com Jesus. Por que não com Judas?

Reuben o conduziu à porta.

— Devia ter me contato isso antes de convidar-me para ficar.

— E você devia ter dito que é Bartolomeu.

— Maldito seja! Sempre teve resposta para tudo, mesmo quando não tinha nada a dizer!

— Sente-se enganado? Acha que caiu em uma armadilha? Sinto muito, Bart. Pensei que estava lhe fazendo um favor.

— Partirei ao amanhecer. Sou grato por sua hospitalidade.

Eu ri ao detectar a ira em sua voz.

— Não devia ser eu o furioso? Não esteve pelo mundo acusando-me de ter traído Jesus?

— Não vou discutir esse assunto, Judas. Você mentiu para mim.

— Porque estou vivo? Espera que eu morra para confortá-lo? Quer que eu morra para dar credibilidade à história de Jesus, para torná-la menos fantasiosa e irreal?

— Esteve conosco o tempo todo, e nunca soubemos quem você era. Mas *ele* sabia. Devia saber. Era essa sua força contra você, e agora será a minha, também. Não tenho medo de você, Judas. Minha força reside no conhecimento da verdade.

Ele segurava a cruz e a brandia contra mim. Com grande ferocidade, Bartolomeu gritou:

— *Você é o Mal!*

Acho que ri. Gargalhei, o que só alimentou sua certeza. Não dizem por aí que o Diabo tem muito do que rir?

— Por que não? — respondi. — Se Jesus é o Filho de Deus, por que Judas não pode ser o Demônio? O Mal? Ele e eu estudamos juntos! Pense nisso!

Bartolomeu parou na porta. Eu podia quase ler seus pensamentos. Se eu, Judas, era o Demônio, não era perfeitamente possível que eu "morresse", "me matasse", e reaparecesse assim, para tentar e atormentar os seguidores de Jesus? A idéia não me desagradava inteiramente. Constituía uma nova teologia e me conferia certo *status*, uma posição ainda muito inferior à de Jesus, é claro, mas um papel significativo no drama metafísico. De certa forma, eu me sentia honrado.

Eram essas as coisas que eu queria dizer a ele; coisas que eu teria no passado, na juventude, em meus dias mais combativos. Mas o velho havia aprendido a morder a língua e guardar para si mesmo as melhores piadas. Eu estava pensando que era triste que tivéssemos de nos despedir naquele clima tão amargo, e talvez não precisasse ser assim.

— Jesus me proteja — ele pedia, voltando os olhos mortos para o céu.

Ele não me deixaria ser só um homem. Um bastardo, um cético, mas um amigo. Eu era o Demônio, e ele estava em guarda.

Então, de repente, lembrei-me das notícias que havia recebido daquela família de judeus, refugiados de Betfagé, que chegaram no dia anterior com a caravana de camelos. Era algo que eles haviam sido solicitados a transmitir como uma mensagem a todos os membros do culto de Jesus que encontrassem no caminho. Eu estava guardando a notícia, não a transmitira a Ptolomeu porque sabia que ele ficaria perturbado tanto quanto eu havia ficado, e o momento certo ainda não surgira.

Até agora.

— Escute, Bartolomeu, há mais notícias de Jerusalém, uma mensagem enviada especialmente para você e seus amigos. Ela chegou quando você pregava, e eu ainda não sabia se devia ou não contar... Não tive coragem... É sobre os filhos de Zebedeu.

— Tiago e João. Agora vai me dizer...

— Estão mortos, infelizmente.

— É claro. Se estavam lá, devem ter lutado. Era de esperar.

Bartolomeu se aproximava de mim como se houvesse esquecido o perigo.

— Tiago foi morto em combate — confirmei.

— E João?

Eu não sabia como amenizar o que tinha para dizer.

— Foi crucificado.

Bartolomeu fechou os olhos. Lágrimas brotavam deles e corriam por suas faces. Ele se deixou abraçar pelo Demônio, pelo Mal, e até correspondeu ao abraço.

Ficamos assim por alguns momentos. Teseu, que assistira a tudo e tudo ouvira, saiu discretamente da sala, apontando para a colina como que para indicar que ia para casa. Reuben mantinha os olhos baixos, fixos no chão.

— Vá para a cama, Bart — eu disse finalmente. — Amanhã, estarei de pé antes de você. Tomaremos o desjejum antes de você partir.

Ele assentiu e resmungou palavras emocionadas de gratidão. Parecia pequeno, mas corajoso, nesse momento. Ele bateu carinhosamente no braço do Diabo Judas, e deixou-se levar, cego, para a história.

Esta manhã ele
parte e eu lhe darei
o broche que seu amigo

ourives confeccionou,
o broche que achei perdido
e pisoteado no jardim.

Adequado, parece,
que um homem cego
deva buscar a luz —

como um homem
que vê deve olhar
para o horizonte.

Nosso amigo não
era o Messias, nem
haverá um.

Essa é a verdade
que escrevo. Ela não vai
prejudicá-lo. Agarre-a!

Impressão e Acabamento